FOLIOTHÈQUE

Collection dirigée par

Bruno Vercier
Maître de conférences
à l'Université de
la Sorbonne Nouvelle – Paris III

Michel Tournier

Vendredi

ou les Limbes du Pacifique

par Arlette Bouloumié

Arlette Bouloumié

présente

Vendredi

ou les Limbes

du Pacifique

de Michel Tournier

Gallimard

Arlette Bouloumié est professeur de lettres à Paris. Elle est l'auteur de plusieurs articles et d'un livre sur Michel Tournier.

Le dossier iconographique a été réalisé par Nicole Bonnetain.

ABRÉVIATIONS

Les références aux romans ou nouvelles de Michel Tournier seront faites dans les éditions suivantes et abrégées selon les signes suivants :

V	*Vendredi ou les Limbes du Pacifique*. Gallimard, Folio.
V.V.S.	*Vendredi ou la Vie sauvage*. Gallimard, Folio junior.
R.A.	*Le Roi des Aulnes*. Gallimard, Folio.
M.	*Les Météores*. Gallimard, Folio.
V.P.	*Le Vent Paraclet*. Gallimard, Folio.
C.B.	*Le Coq de bruyère*. Gallimard.
C.S.	*Des Clés et des Serrures*. Le Chêne, Hachette.
R.	*Rêve*. Éd. Complexe.
G.M.B.	*Gaspard, Melchior et Balthazar*. Gallimard.
R.M.	*Les Rois Mages*. Gallimard, Folio junior.
V.V.	*Le Vol du Vampire*. Mercure de France.
V.D.	*Vues de dos*. Gallimard.
G.J.	*Gilles et Jeanne*. Gallimard.
V.I.	*Le Vagabond immobile*. Gallimard.
S.C.	*Les Sept Contes*. Gallimard, Folio junior.
G.O.	*La Goutte d'Or*. Gallimard, Folio.
M.A.	*Le Médianoche amoureux*. Gallimard.

INTRODUCTION

Le jugement de Raymond Queneau au comité de lecture de Gallimard montre que le premier livre de Michel Tournier s'imposa aussitôt par son originalité :

« Une entreprise bien singulière, un livre bien curieux dont la publication me paraît s'imposer [...]

On est souvent tenté de n'y voir qu'un jeu d'esprit, une sorte d'acrobatie littéraire. Mais on est toujours pris par l'intérêt du récit, pris et surpris » (voir dossier n° 18).

Le succès fut immédiat. Couronné par le grand prix de l'Académie française, le livre fut aussitôt traduit. L'article de Gilles Deleuze : « Michel Tournier et le monde sans autrui », paru dans la revue *Critique* dès 1967 [1], prouve son succès auprès des philosophes. Tandis que les ethnologues mettaient le roman au dossier de l'ethnocide, il devenait la bible des hippies en même temps qu'on l'accusait aux États-Unis de faire l'éloge du pouvoir noir [2]. Dans *Rite, roman, initiation,* paru en 1973, Simone Vierne salue en lui le retour du roman initiatique.

Cependant, malgré l'audience populaire du livre (ou à cause d'elle), l'œuvre de Michel Tournier fut boudée par l'avant-garde ; on lui reprochait une écriture traditionnelle à l'époque où le Nouveau Roman imposait sa conception du récit. Ainsi un critique américain, Robert Shattuk, s'étonnait-il en 1983 :

« ... Dans son propre pays même, son succès auprès du grand public et une

1. L'article fut repris dans *La Logique du sens,* éd. de Minuit, 1969, et sert de postface à l'édition « Folio » de *Vendredi ou les Limbes du Pacifique* (1972).

2. M. Tournier, « Vendredi ou l'école buissonnière », *Le Figaro,* 26 novembre 1974.

reconnaissance quasi officielle semblent le disqualifier aux yeux des cercles intellectuels en vogue [...] La position paradoxale qu'il occupe en France est sans doute à mettre au compte du pouvoir d'une doctrine littéraire dominante [1]. »

1. *Sud*, n° 61, p. 132 et p. 137.

Michel Tournier se dit en effet opposé au Nouveau Roman : le cadre littéraire que celui-ci veut briser, il en a besoin, mais pour faire passer une matière toute nouvelle :

« Je suis ce naturalisé romancier au teint quelque peu basané par le soleil métaphysique. A peine ai-je revêtu mon beau costume d'académicien, je m'aperçois que nous avons perdu le personnage, la psychologie, l'intrigue [...] les paysages, le dénouement, tous les ingrédients obligés du roman traditionnel. Alors je dis non [...] Non aux romanciers nés dans le sérail qui en profitent pour tenter de casser la baraque. Cette baraque, j'en ai besoin, moi ! Mon propos n'est pas d'innover dans la forme mais de faire passer au contraire dans une forme aussi traditionnelle, préservée et rassurante que possible une matière ne possédant aucune de ces qualités » (*V.P.*, p. 195).

Michel Tournier insiste de manière quelque peu provocante : « J'entendais écrire comme Paul Bourget, René Bazin, ou Delly. Quand je commençais un roman, c'était toujours avec l'idée de réécrire *Le Comte Kostia* de Victor Cherbuliez qui avait enchanté mon enfance » (*V.P.*, p. 194).

On peut se demander si l'écriture de Michel Tournier est aussi traditionnelle qu'il veut bien le dire : lui pour qui le roman a un degré de cohérence supérieur au réel, parce que rien n'y est contingent, et que tout y est nécessaire, se rapproche des théories développées par Jean Ricardou dans *Problèmes du Nouveau Roman*. La mise en abyme par laquelle commence *Vendredi* n'est-elle pas un procédé cher au Nouveau Roman ? « Les grands écrits se reconnaissent à ce signe que la fiction qu'ils proposent n'est rien d'autre que la dramatisation de leur propre fonctionnement [1] », écrit Ricardou. Or le livre aux pages blanchies par la mer sur lequel Robinson écrit son journal (*V.*, p. 44) est un véritable palimpseste [2] évoquant la récriture par Tournier du texte de Defoe. De même la déviation du coup de feu qui doit tuer Vendredi et qui abat le premier poursuivant (déviation conservée dans *Vendredi ou la Vie sauvage* [3] où elle n'a plus la même importance) évoque la déviation que Tournier fait subir au mythe dans la nouvelle version qu'il en propose. Ce second *Vendredi* constitue la contestation du premier, ce qui, pour un lecteur qui connaît les deux, empêche une lecture naïve, détruit l'illusion réaliste et ramène les deux versions à des jeux de récriture. Certains voient même dans l'humour propre à Michel Tournier une manière de « déconstruire » le mythe tout en l'utilisant. Ainsi Michel Tournier exploiterait « la trame initiatique afin de mettre en question le modèle mythique qu'elle fournit à l'organisation du récit ». Pour cette tendance de la critique contemporaine qui veut rapprocher Michel Tournier de l'avant-garde littéraire, Vendredi « par le moyen même du Mythe » dont il montre-

1. Jean Ricardou, *Problèmes du Nouveau Roman*, p. 171-190.

2. Manuscrit sur parchemin d'auteurs anciens que les copistes du Moyen Âge ont effacé puis recouvert d'une seconde écriture, sous laquelle l'art des modernes est parvenu à faire reparaître en partie les premiers caractères.

3. Seconde version de *Vendredi* écrite en 1972.

1. M. Taat, « Et si le roi était nu ?, Michel Tournier romancier mythologue », *Rapports het Franse Bœk*, 1982, p. 53.

rait l'impuissance à appréhender le réel, serait « une initiation au réel [1] ».

De toute manière, même si on rattacha d'abord Michel Tournier à ceux qui, comme Antoine Blondin ou Roger Nimier, voulaient revenir aux composantes traditionnelles du roman du XIXᵉ siècle, on prit vite conscience qu'il faisait servir ces formes à des fins différentes de celles des romans traditionnels.

Ainsi Michel Tournier échappe-t-il à toute classification. Écrivain pour grand public et écrivain pour initiés, sa puissante originalité ne l'empêche pas d'être, dès maintenant, considéré comme classique.

L'itinéraire de ce philosophe tardivement converti à la littérature peut expliquer son universalité : « Le passage de la philosophie au roman m'a été fourni par le mythe » (*V.P.*, p. 188). Le mythe hérité d'une époque où le savoir n'était pas cloisonné en disciplines, comporte un « rez-de-chaussée enfantin », comme un « sommet métaphysique » (voir dossier nº 8 *bis*). Son langage est à la fois concret et transcendant. Il propose des situations existentielles exemplaires.

Michel Tournier insiste sur l'importance, décisive pour sa vocation d'écrivain, des deux années d'étude au musée de l'Homme où il fut l'élève de Claude Lévi-Strauss. Il se souvient d'avoir étudié les Selknams, tribu de la Terre de Feu (voir dossier nº 9) dont il avait été chargé de rendre compte parce que le livre qui leur était consacré était écrit en allemand : « J'ai refait depuis d'autres expéditions imaginaires aussi profondes et enrichissantes que cette "première", mais elles en découlèrent toutes » (*V.V.*, p. 387).

Michel Tournier explique qu'au moment où il faisait ces études d'ethnologie, « le hasard a voulu que *Robinson Crusoé* de Daniel Defoe, qui était à l'époque devenu un livre introuvable, reparaisse en livre de poche. Je l'ai lu tout en gardant à l'esprit ce que j'avais appris au musée de l'Homme sur l'ethnographie, le langage, la notion de sauvage et de civilisé. Et je me suis dit : voilà le sujet. Il faut faire un nouveau Robinson Crusoé en tenant compte des acquisitions de l'ethnographie [1] ».

1. « Tournier face aux lycéens », *Le Magazine littéraire*, nº 226, janvier 1986, p. 20.

Choqué de voir toujours la vérité sortir de la bouche de Robinson parce qu'il est blanc, occidental, anglais et chrétien, Tournier décide de donner à Vendredi le rôle important et il s'étonne, vue la fortune du mythe (de *Suzanne et le Pacifique* de Giraudoux à *Images à Crusoé* de Saint-John Perse) que personne n'en ait eu l'idée avant lui. Pourtant « il y a un écrivain qui a failli me couper l'herbe sous le pied », remarque-t-il. C'est Jean-Jacques Rousseau qui écrit dans l'*Émile* : « Émile n'aura qu'un seul livre dans sa bibliothèque. Ce sera le *Robinson Crusoé* de Defoe » (voir dossier nº 4).

Mais Tournier observe que le bon sauvage, pour Rousseau, n'est pas Vendredi, c'est Robinson, l'homme de la société, corrompu par elle mais que le naufrage a providentiellement arraché à ce milieu destructeur : « Émile doit arrêter la lecture quand arrive Vendredi car alors la société est reconstituée, le mal réapparaît et s'instaurent entre Vendredi et Robinson des relations de maître à esclave [2]. »

2. *Ibid.*, p. 22.

Vendredi n'est pas pour autant un roman ethnographique dont le sujet serait le dialogue nord-sud des pays développés et du tiers monde, la confrontation de deux civilisations grâce à deux individus témoins. Son sujet est la destruction de toute civilisation, « la mise à nu des fondements de l'être et de la vie » sous l'effet de la solitude pour « la création d'un monde nouveau » (*V.P.*, p. 229).

C'est « l'aventure cérébrale, noyée dans un contexte romanesque classique » qui intéresse Tournier, comme Valéry, dans l'aventure de Robinson (voir dossier n° 7). « Les romans que je cherchais à écrire, Valéry en a donné la définition et fourni le modèle avec *Monsieur Teste* [...] Il s'agit [...] de raconter une suite de démarches et de découvertes purement cérébrales sans les dégager de leur gangue historique et autobiographique » (*V.P.*, p. 230-232).

La formation philosophique de Michel Tournier est sous-jacente et informe constamment le récit :

« J'avais l'ambition de fournir à mon lecteur épris d'amours et d'aventures l'équivalent littéraire de ces sublimes inventions métaphysiques que sont le cogito de Descartes, les trois genres de connaissance de Spinoza... » (*V.P.*, p. 179).

L'Éthique de Spinoza étant aux yeux de Michel Tournier le livre le plus important après les Évangiles, il n'est pas surprenant que les trois stades de l'évolution de Robinson sur son île, de la souille à l'île administrée puis à l'extase solaire, aient été apparentés aux trois genres de connaissance décrits par Spinoza, bien que, selon Tournier, ce parallélisme ne soit pas délibéré :

« La connaissance du premier genre passe par les sens et les sentiments, et se caractérise par sa subjectivité, sa fortuité et son immédiateté. A la connaissance du deuxième genre correspondent les sciences et les techniques. C'est une connaissance rationnelle mais superficielle, médiate et largement utilitaire. Seule la connaissance du troisième genre livre l'absolu dans une intuition de son essence » (*V.P.*, p. 235).

Ce livre ambitieux veut opérer une transmutation littéraire de la philosophie.

« Je prétendais [...] devenir un vrai romancier, écrire des histoires qui auraient l'odeur du feu de bois, des champignons d'automne ou du poil mouillé des bêtes, mais ces histoires devraient être secrètement mues par les ressorts de l'ontologie et de la logique matérielle » (*V.P.*, p. 179).

Michel Tournier a été aidé dans ce travail par Gaston Bachelard dont les livres, découverts pendant les vacances bourguignonnes de 1941-1942 l'avaient décidé à opter pour une licence de philosophie, Bachelard qu'il retrouve à la Sorbonne où il faisait des cours publics et dont il eut l'occasion d'enregistrer des entretiens à la radio [1]. Gaston Bachelard a montré dans *La Psychanalyse du feu*, dans *L'Air et les Songes*, *La Terre et les rêveries du repos*, *La Terre et les rêveries de la volonté*, *L'Eau et les rêves*, l'importance des quatre éléments fondamentaux dans l'imagination créatrice des poètes. À la jonction de la philosophie et de la poésie, Bachelard a aidé Michel Tournier à devenir écrivain. Son influence est sensible dans *Vendredi* où les jeux éoliens de l'Araucan transforment un Robinson tellurique en Robinson solaire qui communie avec les éléments [2].

1. A. Bouloumié, *Le Roman mythologique* suivi de *Questions à Michel Tournier*, p. 251.

2. Cf. p. 124-134, « un roman initiatique ».

1. Voir l'article : « Deux thèmes chers au romantisme allemand : la harpe éolienne et la mandragore dans *Vendredi ou les Limbes du Pacifique* », *Recherches sur l'imaginaire*, cahier XVIII, université d'Angers, ainsi que l'article du *Dictionnaire des mythes littéraires* sur « la mandragore et le romantisme allemand » (Hoffmann, Achim von Arnim, Tieck) (voir dossier n° 14).

2. Voir *Ondine* et *Intermezzo*.

3. B. Vercier et J. Lecarme, *La Littérature en France depuis 1968*, p. 71.

4. M. Tournier, « En marge du romantisme allemand. Les voyages initiatiques », *Le*

Au-delà des problèmes de société qu'il pose, *Vendredi ou les Limbes du Pacifique* confronte l'homme à une totalité plus vaste. L'influence de la philosophie allemande se manifeste aussi dans cette évocation d'un cosmos vivant, doué d'une dimension sacrée. Les thèmes de la harpe éolienne et de la mandragore, chers au romantisme allemand [1] révèlent dans *Vendredi* une sensibilité cosmique que l'on retrouve chez d'autres germanistes comme Giraudoux [2].

Germanique encore est cette association, si rare dans le roman français, du comique et du cosmique, emprunté, de l'aveu même de Michel Tournier, à Thomas Mann et à Nietzsche (voir dossier n° 17) si bien que dans son livre sur *La Littérature en France depuis 1968,* Bruno Vercier s'interroge : « Michel Tournier ne serait-il pas notre premier romancier allemand de langue française [3] ? »

C'est en effet à la grande tradition du romantisme allemand plus mystique que le romantisme français, qu'on peut rattacher *Vendredi ou les Limbes du Pacifique.* Dans un article intitulé : « En marge du romantisme allemand. Les voyages initiatiques », où il présente l'ouvrage que Marcel Brion leur a consacré, Michel Tournier évoque « Novalis avec son *Heinrich von Ofterdingen* qui nous a donné le plus pur modèle du roman initiatique ». Il cite encore « ce grand roman initiatique du XXe siècle, *La Montagne magique* de Thomas Mann [4] ». Les aventures de Robinson s'éloignent des épreuves d'un naufragé pour retrouver la dimension initiatique d'une quête spirituelle où l'âme

Monde, 10-20 jan-
vier 1977.

accède, par une série d'épreuves, à un
stade supérieur.

Tournier donne une portée métaphysique au roman selon la formule nietzschéenne : « L'art n'est pas seulement une
imitation de la réalité naturelle mais bien
un supplément métaphysique de cette
réalité placé à côté d'elle afin de la

1. F. Nietzsche, *La
Naissance de la tra-
gédie,* p. 138.

surmonter [1]. »

L'influence germanique se conjugue
donc avec celle de l'ethnologie (les rituels
initiatiques restent vivants dans les sociétés
primitives) pour faire retrouver au roman
de Michel Tournier une dimension
métaphysique.

Nietzsche voit dans l'homme moderne
dépossédé du mythe, un « éternel affamé »,
privé du « sein maternel mythique [2] ».

2. *Ibid.,* p. 133
(voir dossier
n° 15).

Tournier se montre bien proche de cette
conception lorsqu'il écrit : « De la nuit des
temps rayonnent d'obscures clartés qui
illuminent, pour un instant, les misères de
notre condition et qui s'appellent mythologies. » Ne font-elles pas « tressaillir en nous
une âme puérile et archaïque qui
comprend la fable comme sa langue maternelle et comme un écho de ses origines

3. M. Tournier,
« Les éclairs dans
la nuit du cœur »,
*Les Nouvelles litté-
raires,* 26 novem-
bre 1970.

premières [3] ? »

C'est peut-être cette fidélité à l'enfance
qui explique que *Vendredi,* malgré les
aspects ambitieux que nous avons indi-
qués, ait été en partie écrit avec des
enfants :

4. « Les enfants
dans la bibliothè-
que », propos
recueillis par
J.-F. Josselin, *Le
Nouvel Observa-
teur,* 6 décembre
1971.

« Je leur racontais mon livre au fur et
à mesure que je l'écrivais, dit Tournier.
Je demandais aux enfants : l'explosion a
tout détruit sur l'île, que font Vendredi et
Robinson ? [...] J'ai donc inventé avec eux
toutes sortes de jeux [4]. »

Ce procédé qu'il généralise lorsqu'il écrit *Vendredi ou la Vie sauvage* plaît tellement à Tournier qu'il intègre en 1972 dans l'édition Folio de *Vendredi ou les Limbes du Pacifique* de nouveaux passages tirés de *Vendredi ou la Vie sauvage,* comme celui où Robinson et Vendredi jouent à l'envers la scène du civilisé posant son pied sur la nuque du sauvage. « Tout ce passage inventé, trouvé avec les enfants, je le reprends dans la version adulte [1]. »

Cette importance de l'esprit d'enfance apparaît encore dans le dénouement finalement choisi pour *Vendredi* : à Daniel Bougnoux, Michel Tournier confie :

« Dans ma première idée, il n'était pas question du mousse que j'ai ajouté pour faire plus romanesque, pour surprendre. Dans ma conception initiale qui était plus rigoureuse, Robinson devenait une sorte de stylite, immobilisé debout sur une colonne de soleil [2]. »

Michel Tournier est donc à la fois fidèle à l'esprit d'enfance et à l'ambition philosophique. S'il marie littérature et philosophie comme l'a tenté Sartre, il invente une formule neuve en écrivant *Vendredi ou la Vie sauvage,* une version qui, sans perdre son contenu doctrinal, peut intéresser des enfants. Comme l'écrit R.M. Albérès : « *Vendredi ou les Limbes du Pacifique* n'est pas un récit, ni une chronique, ni une épopée, ni un simple pastiche, mais tout cela à la fois : une série de variations lyriques, cyniques, philosophiques, oniriques, psychanalytiques, autour de la véritable histoire de Robinson. Robinson revu et corrigé à travers Freud, Jung et même Lévi-Strauss » (voir dossier n° 19).

1. « Écrire pour les enfants », propos de M. Tournier recueillis par J.-M. Magnan, *La Quinzaine littéraire,* 16-31 décembre 1971.

2. « Entretien avec Michel Tournier », de D. Bougnoux et A. Clavel, *Silex*, n° 14, 1979, p. 14.

I STRUCTURE DU ROMAN

A. LA MISE EN ABYME : UNE STRUCTURE EN MIROIR

André Gide écrivait dans son *Journal* de 1893 :

« J'aime assez qu'en une œuvre d'art, on retrouve ainsi transposé, à l'échelle des personnages, le sujet même de cette œuvre. Rien ne l'éclaire et n'établit plus sûrement les proportions de l'ensemble. Ainsi dans tels tableaux de Memling ou de Quentin Metsys, un petit miroir convexe et sombre reflète, à son tour, l'intérieur de la scène où se joue la scène peinte. Ainsi dans le tableau des *Ménines* de Vélasquez (mais un peu différemment). Enfin, en littérature, dans *Hamlet,* la scène de la comédie, et ailleurs dans bien d'autres pièces. Dans *Wilhelm Meister,* les scènes de marionnettes ou de fête au château [1]. »

Gide propose d'appeler : « mise en abyme » cette technique, par analogie avec l'inclusion d'un blason dans un autre, en héraldique.

C'est bien par une « mise en abyme » que commence *Vendredi ou les Limbes du Pacifique* où le capitaine van Deyssel, utilisant les cartes du tarot, prophétise l'avenir de Robinson au moment précis où la tempête va engloutir la *Virginie.* Chaque carte anticipe un événement important du récit, mais de façon suffisamment énigmatique pour que la lecture constitue une

1. A. Gide, *Journal,* p. 41.

sorte de déchiffrage a posteriori de messages codés. « Ces paroles, dira plus tard Robinson, sont en quelque sorte le viatique spirituel que m'accordait l'humanité avant de m'abandonner aux éléments » (*V.*, p. 228).

Le roman est donc tout entier inscrit dans le chapitre 0, écrit en italique pour le distinguer des autres chapitres. Cette « préface » a été écrite après que le livre fut achevé [1]. Elle souligne l'effet de dédoublement spéculaire. Construit sur une série de parallélismes, d'échos et de symétries, le livre obéit à une architecture savante, à une structure « en miroir ».

Michel Tournier a toujours insisté sur l'aspect structuré de ses ouvrages qui l'amène parfois à écrire la fin avant le début. Dans un entretien avec Jean-Louis de Rambures à l'occasion de la publication du *Roi des Aulnes,* il déclarait :

« L'un des secrets consiste à écrire la fin du roman avant le début... Je procède ensuite à un découpage rigoureux. Le livre se compose toujours de deux versants séparés au milieu par une crise... Pour obtenir les correspondances, il suffit de travailler simultanément à chacun de ces versants. Je n'hésite pas, s'il le faut, à écrire à reculons [2]. »

Ce principe qui s'oppose à la théorie romantique de l'inspiration rejoint la phrase de Baudelaire commentant « La Genèse d'un poème », *Le Corbeau* d'Edgar Poe, où il souligne combien l'esthétique de Poe refuse tout abandon et toute confiance en un désordre inspiré :

« Un de ses axiomes favoris est encore celui-ci... "Un bon auteur a déjà sa

1. Déclaration de M. Tournier au Colloque de Cerisy-la-Salle, août 1990.

2. Entretien de M. Tournier avec J.-L. de Rambures, « De Robinson à l'ogre : un créateur de mythes », *Le Monde,* 4 décembre 1970.

dernière ligne en vue quand il écrit la première." Grâce à cette admirable méthode, le compositeur peut commencer son œuvre par la fin et travailler quand il lui plaît à n'importe quelle partie. Les amateurs de délire seront peut-être révoltés par ces cyniques maximes. »

B. LES FIGURES DU TAROT

Le tarot de Marseille qu'utilise le capitaine van Deyssel est un jeu de cartes très ancien aux figures symboliques où se mêlent le monde chrétien, la mythologie et l'astrologie. Les 78 cartes comportent 56 arcanes mineurs et 22 arcanes majeurs, arcane signifiant « qui contient un sens caché, un secret à découvrir ».

Ici les onze cartes des arcanes majeurs que tire Robinson permettent au capitaine van Deyssel de prophétiser les étapes principales d'un destin d'exception.

Le Bateleur, premier arcane du tarot marque le début du voyage initiatique de Robinson. « L'établi chargé d'objets hétéroclites » (*V.,* p. 7) suggère les qualités de créateur de Robinson. Le bricoleur est même exalté au rang de « démiurge ». Mais le bateleur, avec ses tours d'adresse, fait penser à l'escamoteur et à l'illusionniste. Il révèle à Robinson que l'ordre matériel qu'il veut maîtriser n'est qu'illusion. Cette prise de conscience est nécessaire à l'ascension spirituelle de celui-ci. Après l'échec de l'*Évasion* et la chute dans la souille, Robinson prend conscience que la mer était « sa tentation, son piège, son opium » (*V.,* p. 42). Le passé aussi est une voie illusoire comme le révèle l'hallucination de sa sœur morte. Cette carte correspond aux deux premiers chapitres du livre mais suggère, au-delà, l'illusion de l'île administrée.

La deuxième carte tirée est l'arcane septième, *Le Chariot*. C'est « un personnage portant couronne et sceptre debout sur un char tiré par deux coursiers » (*V.*, p. 8). *Mars,* nom de la planète qui domine ce septième arcane du tarot, et nom par lequel le capitaine désigne la lame, souligne la victoire remportée sur la nature, mais aussi le combat mené par Robinson contre la tentation de la souille et du désespoir ainsi que la maîtrise retrouvée grâce à l'écriture, la mesure du temps et la culture (chapitre 3). « Robinson-Roi » évoque l'instauration de la Charte et des Lois, la lutte contre les Indiens, au chapitre 4. Le triomphe caractérise cette carte, au chiffre symbolique, 7, comme le septième jour de la création.

La troisième carte, est l'arcane neuvième, *L'Ermite* : « Le Guerrier [...] s'est retiré au fond de sa grotte pour y retrouver sa source originelle » (*V.*, p. 8). Elle annonce au chapitre 5, la descente de Robinson dans la grotte. Neuf est le chiffre de la gestation, suggérant la renaissance de Robinson après cette régression au stade embryonnaire. Désormais un nouveau Robinson est né, qui va se manifester de plus en plus sous le masque du gouverneur. « Son âme monolithique a subi d'intimes fissures » (*V.*, p. 9). Il rêve d'un séisme qui détruirait l'ordre qu'il a établi (*V.*, p. 125). Il instaure avec Speranza des relations nouvelles.

LE BATELEUR

Ci-dessus et pages suivantes : Tarots de Marseille, 6 cartes.
Musée français de la carte à jouer,
Issy-les-Moulineaux. Ph. Éditions Gallimard.

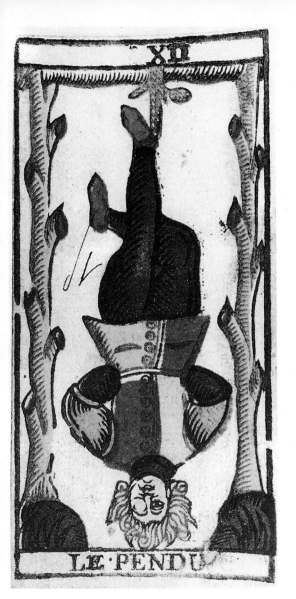

XII

LE·PENDU

LE · DIABLE

La quatrième carte est l'arcane dix-sept appelé l'Étoile mais que le capitaine désigne par *Vénus* : une belle jeune femme nue est dessinée sous les étoiles. « Vénus en personne émerge des eaux et fait ses premiers pas dans vos plates-bandes » (*V.*, p. 9). L'arrivée de Vendredi au début du chapitre 7 est ainsi annoncée car « Vendredi, [...] c'est le jour de Vénus » (*V.*, p. 228). Cette phrase répond, en écho, à la phrase du capitaine quand Robinson déchiffre enfin le message à lui adressé. Peut-être cette carte évoque-t-elle aussi, à la fin du chapitre 6, la sexualité débordante de Robinson découvrant la combe rose.

« L'Arcane sixième : *le Sagittaire* » (*V.*, p. 9) est appelé dans le jeu de tarot : l'Amoureux. La lecture de van Deyssel privilégie le haut de cette cinquième carte où « un ange ailé envoie des flèches ». Mais Cupidon devient Vénus et les flèches qui visaient le cœur de l'Amoureux sont maintenant envoyées vers le soleil. La lecture de cette carte montre que Tournier connaît le symbolisme du chiffre 6 de l'Arcane, lié à l'étoile à six branches formée de deux triangles entrelacés dont l'un pointe en haut, désignant le feu et l'esprit divin. La carte annonce au chapitre 9 les jeux de Vendredi qui « empennait les flèches au-delà de toute limite raisonnable » (*V.*, p. 193). La flèche symbolise l'évolution éolienne et solaire de Robinson. Cette flèche rapproche l'arcane du signe astrologique du Sagittaire, le Centaure moitié homme, moitié animal, symbole de l'élément instinctif et de l'élément spirituel si fortement unis en Vendredi.

La sixième carte est « l'Arcane vingt et unième » (*V.*, p. 9) appelé le Monde dans le jeu de tarot et désigné ici par « *Le Chaos* ». Précédée de « Malheur », la description du capitaine évoque une catastrophe, l'explosion de la grotte à la fin du chapitre 8. « La bête de la Terre est en butte avec un monstre de flammes. » L'arcane vingt et unième signifie habituellement la victoire de l'initié. Le lion, le taureau, l'ange et l'aigle, aux quatre coins de la carte figurent les quatre éléments : le feu, la terre, l'air et l'eau que l'initié, au centre, a dominé. L'interprétation de la carte semble donc ici en opposition complète avec le sens apaisant qui lui est attribué à moins que l'on ne voie ici évoquée la destruction nécessaire à la libération de Robinson et à l'avènement du règne éolien de Vendredi. On peut y lire le déchirement du Robinson tellurique, arraché à son élément, pour se tourner vers le soleil, ainsi que le suggère van Deyssel : « l'homme que vous voyez [est] pris entre des forces opposées » (*V.*, p. 9). Le nombre impair 21 signifie en effet « l'effort dynamique de l'individu qui s'élabore dans la lutte des contraires [1] ».

La septième carte représente l'Arcane douzième, le Pendu : « Mais ce qu'il y a de plus significatif dans ce personnage, c'est qu'il est pendu par les pieds » (*V.*, p. 9). Le capitaine appelle *Saturne* cette carte, faisant peut-être allusion aux Saturnales, ces fêtes païennes marquées par l'inversion de la hiérarchie sociale. C'est l'inversion des valeurs consécutives à l'explosion qui est annoncée : « Vous voilà donc la tête en bas, mon pauvre Crusoé !

1. J. Chevalier, A. Gheerbrant, *Dictionnaire des symboles,* p. 1019.

s'exclame le capitaine. Robinson ne va-t-il pas apprendre à marcher sur les mains ? (*V.*, p. 191), ne va-t-il pas couper sa barbe qui s'allongeait vers le sol pour laisser au contraire ses cheveux boucler en direction du soleil ? (*V.*, p. 218). Le temps n'est-il pas inversé ? Robinson ne se met-il pas à rajeunir ? Saturne implique le détachement, la séparation, la rupture des habitudes [1]. Or Vendredi, l'esclave méprisé va devenir l'initiateur admiré par Robinson. La carte du pendu marque la fin de l'ordre terrestre et annonce le culte solaire au chapitre 10.

La huitième carte est l'arcane quinzième appelé le Diable et désigné ici par *Les Gémeaux*. « Les Gémeaux sont figurés attachés par le cou aux pieds de l'Ange bisexué » (*V.*, p. 10). L'accent est mis sur la métamorphose de Vendredi devenu le frère jumeau de Robinson. La puissance effrayante du diable figurée sur la carte par un bouc est ici gommée au bénéfice d'une idée positive : celle de la réunion des contraires symbolisée par la réunion des sexes dans un être divin.

L'arcane dix-neuvième appelé ici « l'Arcane du *Lion* » (*V.*, p. 12) car ce signe du zodiaque occupe le milieu de l'été [2], désigne le soleil : « le dieu soleil occupe tout le haut de cette lame qui lui est dédiée ». Le couple humain est remplacé par deux enfants : « Deux enfants se tiennent par la main devant un mur qui symbolise la Cité solaire. » Cette innocence enfantine associée à l'idée de sexualité androgynique est décrite comme « le zénith de la perfection humaine » (*V.*, p. 12). Ces paroles mystérieuses s'éclaireront beau-

1. *Ibid.*, p. 848.

2. *Ibid.*, p. 577.

coup plus tard. Le log-book se fait l'écho des paroles du capitaine : « Je revois confusément sur une carte deux enfants – des jumeaux, des innocents – se tenant par la main devant un mur qui symbolise la Cité solaire » (*V.*, p. 229).

La structure en miroir prend tout son sens et l'explication répond à l'énigme : « Vénus n'est pas sortie des eaux et n'a pas foulé mes rivages pour me séduire mais pour me tourner de force vers son père Ouranos [...] la différence des sexes est dépassée, et Vendredi peut s'identifier à Vénus, tout de même qu'on peut dire en langage humain que je m'ouvre à la fécondation de l'Astre Majeur » (*V.*, p. 229-230).

Tournier est fidèle ici à la tradition : la carte symbolise en effet « la radieuse jeunesse de deux êtres unis qui s'imprègnent du Soleil [1] ». Signalons que la voie du « chevalier solaire » (*V.*, p. 216) désigne le « vingt-huitième grade maçonnique » : c'est « le dépouillement qui conduit [...] à la sainteté [...] Le Soleil, lumière parfaite, représente pour tous les Maçons l'idéal de pureté et de vérité qui anime la pensée [2] ». C'est le point culminant de l'initiation.

La dixième carte, désignée ici par *Le Capricorne*, nom du dizième signe du zodiaque correspondant à la mort de la nature, est l'Arcane treizième appelée d'ordinaire « l'arcane sans nom » ou « la mort » ou encore « le faucheur ». « Ce squelette qui fauche une prairie jonchée de mains, de pieds et de têtes dit assez le sens funeste qui s'attache à cette lame » (*V.*, p. 12). Cette carte évoque le désespoir qui menace de précipiter Robinson dans

1. J. Beauchard, *Tarot maçonnique*, p. 135.

2. *Ibid.*, p. 135.

la mort après le départ de Vendredi au chapitre 12 (*V.*, p. 251). Mais le mot Capricorne par une superposition de sens habituelle chez Tournier peut renvoyer aussi au bouc Andoar, l'animal que Vendredi va tuer et transformer en harpe éolienne.

La dernière et onzième carte, appelée *Jupiter* par le capitaine, désigne l'arcane vingtième, « le Jugement », figurant l'initié sortant d'un cercueil. Le capitaine évoque : « un enfant d'or, issu des entrailles de la terre – comme une pépite arrachée à la mine » (*V.*, p. 13), allusion à l'apparition de Jeudi au chapitre 12 : « Une pierre roula à l'intérieur et un corps obstrua le faible espace noir. Quelques contorsions le libérèrent de l'étroit orifice » (*V.*, p. 252).

Tournier garde le symbolisme alchimique de cette carte : « La Pierre philosophale [est] sortie de son sépulcre vitreux » en même temps que « l'Initié ressuscite : il se dresse vers la Grande Lumière [1] ».

1. Hélène Bovagnet, *Tarot symbolique et pratique*, p. 142.

La dernière page du roman, illustration de cette phrase : « Jupiter, dieu du ciel », en l'honneur de qui l'enfant est baptisé Jeudi, fait écho à la dernière carte du tarot.

Les cartes ne renvoient donc pas à des chapitres précis mais marquent les phases importantes de l'action. Comme à l'ouverture d'un opéra, les cartes dont les noms sont inspirés par les planètes (Mars, Vénus, Saturne, Jupiter) ou par les signes du zodiaque (le Sagittaire, les Gémeaux, le Lion, le Capricorne) et dont deux seulement ont le nom que leur donne le tarot (le Bateleur, l'Ermite), annoncent les grands thèmes du roman comme la poésie cosmique du texte : Vénus, c'est Vendredi ; le Capricorne, Andoar ; Jupiter, Jeudi. Cette signification plurielle fait leur valeur poétique. Quant au Chaos, qui annonce l'explosion, il échappe à la classification précédente et occupe la position centrale : cinq cartes précèdent cette carte, cinq cartes la suivent.

Le tableau suivant résumerait l'ensemble :

Le Bateleur (Arcane 1) Mars (A.7)	L'Ermite (A.9)	Vénus (A.17) Le Sagittaire (A.6)	Le Chaos (A.21)	Saturne (A.12) Les Gémeaux (A.15) Le Lion (A.19)	Le Capricorne (A.13) Jupiter (A.20)
Ch. 1-2-3-4	Ch. 5-6	Ch. 7-9	Ch. 8	Ch. 9-10	Ch. 11-12
Construction de l'*évasion*. Victoire sur la nature. L'île administrée.	Descente dans la grotte. Robinson divisé.	Arrivée de Vendredi. Jeux éoliens.	Explosion de la grotte.	Inversion des valeurs. La vie sauvage. Conversion éolienne et solaire.	Départ de Vendredi. Robinson est tenté par le suicide. Arrivée de Jeudi.

Non seulement la mise en abyme que constitue l'ouverture de *Vendredi ou les Limbes du Pacifique* fonctionne comme le foyer de convergence, le lien essentiel d'un rassemblement sous l'espèce d'un résumé : allusion, métaphore (comme le Vitrail de Caïn dans *L'Emploi du temps* de Butor), mais l'utilisation de la mise en abyme contient sa propre contestation. L'ouverture de *Vendredi ou les Limbes du Pacifique* fonctionne en effet comme une mise en abyme à double sens.

Si l'on est attentif à l'harmonie qui s'établit entre le monde extérieur, la tempête, assimilée à un « sabbat de sorcières », et l'intérieur du bateau où se déroule le « jeu maléfique » qui consiste à interroger le destin, on constate bientôt que de singulières coïncidences sonores s'établissent entre les cartes du tarot, le commentaire qui les accompagne, et la scène où s'accomplit le jeu : quand le capitaine voit la mort dans les cartes et dit à Robinson : « Votre histoire est finie » (*V.*, p. 12) – avant d'avoir commencé ! –, Robinson perçoit une voix humaine et les aboiements d'un chien annonçant l'approche d'une côte inconnue avec ses récifs. Quand le capitaine voit « Jupiter » dans les cartes, Robinson croit entendre « Terre ! ». « Vous couliez à pied », dit van Deyssel annonçant sans le savoir à Robinson la mort imminente de ce dernier dans le naufrage. Le transfert du sens figuré au sens propre prend une signification menaçante. Mais, en ajoutant aussitôt : « le dieu du ciel vous vient en aide », ne prophétise-t-il pas le salut de Robinson ? Le capitaine si subtil pour découvrir le destin à long terme de Robinson est aveugle à la signification immédiate de ses paroles sibyllines. L'avenir immédiat aussi est dans les cartes. Déjà en tirant la carte du Chariot qu'il appelait Mars, le capitaine ne tendait-il pas à Robinson un miroir du présent, ce qu'il soulignait par ces paroles : « Il [...] impose autour de lui un ordre qui est à *son* image [...] Un ordre à *votre* image » (*V.*, p. 8) ? Comme toutes les prophéties, celle-ci est ambiguë car à double application temporelle.

C. ORGANISATION DU ROMAN

Le livre est formé de 12 chapitres précédés d'un préambule. On peut envisager plusieurs principes d'organisation :

Une division binaire. Vendredi arrivant au début du chapitre 7, on serait tenté de diviser le livre en deux parties : avant Vendredi, après Vendredi, son arrivée constituant le cœur du livre. Tournier nous conforte dans cette opinion : « Les deux volets de Robinson sur son île, *Avant-Vendredi, Avec-Vendredi* s'articulent parfaitement l'un sur l'autre, le drame de la solitude s'exhalant dans un appel à un compagnon, puis se trouvant soudain étouffé, suffoqué par la survenue d'un compagnon en effet, mais inattendu, surprenant, une déception affreuse – un nègre ! – contenant pourtant toutes les promesses d'une relance prodigieuse de l'aventure et de l'invention » (*V.P.*, p. 232). La vie sauvage ne commence réellement qu'après l'explosion qui a lieu à la fin du chapitre 8. Cet événement concurrence donc l'arrivée de Vendredi comme événement capital après lequel tout bascule.

Le roman abonde en motifs symétriques qui soulignent une structure binaire : la cueillette de l'ananas manifeste le parallélisme des recommencements, après le naufrage (*V.*, p. 18) et après l'explosion : « Robinson se souvint que c'était la première nourriture qu'il eût prise dans l'île le lendemain de son naufrage » (*V.*, p. 187). La présence redoublée des vautours est associée au désespoir, au début et à la fin du livre (*V.*, p. 20 et 251), comme l'enfouissement répété dans la souille (*V.*, p. 37 et 49). L'échec devant l'évasion se dédouble : d'abord trop lourd pour un homme (*V.*, p. 35), le bateau rongé par les termites tombe en poussière quand Vendredi et Robinson veulent le soulever (*V.*, p. 146). Il y a deux apparitions des Indiens (*V.*, p. 74 et 141), deux bateaux, deux capitaines, deux morales (la Bible et les Almanachs de B. Franklin), deux refuges (la souille et la grotte), deux enfants (Vendredi et Jeudi), deux sexualités (végétale et tellurique).

Une division ternaire est envisageable.

L'île niée (avec l'échec de l'*Évasion* et l'épisode de la souille qui en est la conséquence, jusqu'à l'hallucination qui suspend ce refus) serait l'objet des chapitres 1 et 2. C'est le degré zéro de la vie insulaire (*V.P.*, p. 233).

L'île administrée occuperait les chapitres 3 à 8 jusqu'à l'explosion. L'arrivée de Vendredi au début du chapitre 7 ne fait d'abord que conforter Robinson dans son rôle de gouverneur.

L'île solaire, liée au retour à la vie sauvage, et un instant perturbée par l'arrivée du *Whitebird* au début du chapitre 11, constituerait la troisième partie, développée dans les quatre derniers chapitres (9 à 12).

Le schéma suivant résumerait l'architecture d'ensemble :

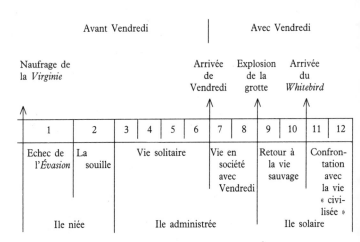

1	2	3	4	5	6	7	8	9	10	11	12

Le schéma montre que le récit s'articule autour de deux événements-catastrophes : le naufrage et l'explosion, et de deux arrivées : celle de Vendredi et du *Whitebird*.

Cette division ternaire correspond, observe Michel Tournier, à une expérience quotidienne : « À chaque homme, à chaque femme, trois voies s'offrent dans la vie : 1) les plaisirs purement passifs et dégradants – l'alcool, la drogue, etc. ; 2) le travail et l'ambition sociale ; 3) la pure contemplation artistique ou religieuse » (*V.P.*, p. 236).

Une division en quatre parties est encore possible. Le thème des quatre éléments est essentiel dans le récit. Or la métamorphose de Robinson, thème essentiel du livre, peut se résumer dans la conversion d'un Robinson tellurique en un Robinson éolien et solaire. N'oublions pas enfin qu'avant d'exploiter la terre, Robinson est un marin fasciné par la mer. Les étapes successives et antithétiques de cette évolution feraient donc passer d'un Robinson lié à l'eau (ch. 1 et 2) à un Robinson tellurique (ch. 3, 4, 5, 6) puis à un Robinson éolien (ch. 7, 8, 9) et enfin à un Robinson solaire (ch. 10, 11, 12).

L'articulation du log-book, le journal de Robinson, écrit au présent et à la première personne, et du récit au passé simple et à la troisième personne, par un narrateur distinct de Robinson pourrait faire apparaître une autre division en quatre parties :

On constate que les chapitres 1 et 2 et les chapitres 11 et 12, aux deux extrémités du livre ne comportent pas de log-book.

Dans les chapitres 3-4-5 et 6, il y a alternance du récit et du journal avec toujours prédominance du récit. À cette alternance s'ajoute, dans les chapitres 7 et 8, l'irruption périodique du présent à l'intérieur du récit à la troisième personne, irruption qui se fait de plus en plus fréquente jusqu'à l'explosion, racontée au présent.

Le chapitre 9 est écrit entièrement à la troisième personne.

Le chapitre 10, au contraire, contient uniquement le journal à la 1re personne.

Comment interpréter une telle répartition ?

La présence équilibrée du récit et du journal dans les chapitres 3-4-5-6 montrerait deux mouvements opposés en Robinson : extérieurement, il domestique l'île et remporte une victoire ; intérieurement, il se détache de cette construction. Dans *La Séduction du jeu*, Lynn Salkin Sbiroli interprète ainsi cette alternance : « La construction rationnelle » se révèle de plus en plus vide, creusée de l'intérieur, tandis que l'écroulement de l'« échafaudage » répressif des institutions sociales libère « un torrent de désirs »

Avec l'arrivée de Vendredi, « l'irruption du présent dans un récit raconté jusqu'alors au passé » montrerait que « le narrateur assiste à quelque chose qu'il ne contrôle pas. Le langage, au présent, semble "marcher" tout seul [1] ».

1. L. Salkin Sbiroli, *La Séduction du jeu,* p. 149 et p. 150

Ce sont les premières actions de Vendredi sur l'île qui sont d'abord décrites au présent : « [Vendredi] sait défricher, labourer, semer, herser [...] Vendredi est d'une docilité parfaite... »

Mais Robinson observe en même temps qu'« il y a dans cette soumission quelque chose de trop parfait, de mécanique même qui [le] glace » (*V.*, p. 153).

Vendredi qui représente dès le début quelque chose d'incontrôlable, permet au récit intérieur d'ex-sister.

Le chapitre 9 est écrit tout entier à la troisième personne car « il n'y a plus de distinction entre extérieur, intérieur. L'histoire se manifeste uniquement sur la surface de l'île où sa réalité et son équilibre ont changé. [2] » La dualité Robinson-Vendredi a disparu au bénéfice de l'union symbolisée par les Gémeaux.

2. *Ibid.,* p. 152.

Le chapitre 10 est écrit uniquement à la première personne et au présent. Il manifeste l'harmonie supérieure de l'initié qui, triomphant du temps, atteint l'éternité.

On pourrait schématiser ainsi ces observations :

1) Début dans l'île	2) Vie solitaire				3) Vie avec Vendredi		4) Retour à la vie civilisée	
1 2	3 4 5 6				7 8	9 10	11 12	
récit à la 3ᵉ personne et au passé	alternance récit-journal il et je et passé présent				alternance récit-journal avec irruption du présent dans le récit au passé	récit journal seul seul	récit à la 3ᵉ personne et au passé	

Le parallélisme entre la phase 1 : début dans l'île (ch. 1-2) et la phase 4 : retour à la vie « civilisée » (ch. 11-12) apparaît avec les préoccupations sociales et maritimes qui les accompagnent. La phase 2 (ch. 3-4-5-6) est consacrée à la vie solitaire de Robinson soumise à l'action décapante de la solitude. La phase 3 (ch. 7-8-9-10) montre la vie de Robinson en compagnie de Vendredi avec la métamorphose qu'elle entraîne, jusque dans la forme du texte. Ces deux parties aussi sont symétriques.

L'originalité de Michel Tournier sur le plan de la forme de son récit apparaît dans cette analyse de la dualité narrative où l'on peut estimer que la forme même du récit reflète la division de Robinson (et pas seulement l'opposition narrateur/personnage) et disparaît avec elle. La voix du narrateur ne se confond-elle pas avec celle de son personnage pour commenter les actes de Robinson, redoublant ainsi le journal de celui-ci. (*V.*, p. 66-67) au lieu de se contenter d'en rendre compte ? Inversement n'arrive-t-il pas à Robinson de parler de lui-même à la troisième personne ? « Alors Robinson est Speranza » (*V.*, p. 98). La métamorphose de Robinson, cause de la « fissure » de son âme monolithique, tend aussi à résoudre et à dépasser cette division : narrateur-écrivain et personnage se rejoignent au chapitre 10 dans le triomphe d'une seule voix narrative où la victoire du je marque celle de l'unité (« il » marquant jusqu'alors une distance de Robinson avec son personnage historique de plus en plus étranger à lui-même) et celle du présent manifeste la conquête de l'éternité.

L'étude de la structure du roman révèle donc une architecture savante où règne la loi du dédoublement : structure en écho ou dualité narrative rendent perceptible jusque dans la forme, la naissance d'un homme nouveau, tout à fait étranger à son premier moi, selon la formule de Rimbaud : « je est un autre ».

II UN CONTE PHILOSOPHIQUE

Michel Tournier se propose de « fondre l'essai et le roman, la réussite promettant d'être d'autant plus éclatante que l'essai sera plus abstraitement métaphysique et l'affabulation plus aventureusement pica-resque » (*V.P.*, p. 231). N'est-ce pas la formule du conte philosophique ? Si la philosophie peut être implicite, elle peut aussi être clairement exprimée, « étalée », ce que Michel Tournier, plus tard, repro-chera à son premier livre.

A. L'ABSENCE D'AUTRUI ET SES CONSÉQUENCES

L'existence du moi.

Les effets de l'absence d'autrui sur le comportement, la pensée, et la perception de Robinson est le sujet philosophique de *Vendredi ou les Limbes du Pacifique*, « la vraie aventure de l'esprit » (Postface, p. 261). Sans autrui et « le fragile et complexe échafaudage d'habitudes » (*V.*, p. 53) qu'il implique, Robinson s'effondre dans la souille, il sombre dans l'inexis-tence. Car exister, c'est *« être dehors, sistere ex »* (*V.*, p. 129), donc être reconnu par autrui. Robinson, que tout le monde croit mort, est bien mort d'une certaine façon.

« Dans l'esprit de la totalité des hommes, il y a l'image du cadavre de Robinson. Cela seul suffit – non certes à me tuer – mais à me repousser aux confins de la vie » (*V.*, p. 130).

Le visage de Robinson se fige (*V.*, p. 90), son langage se sclérose, sa raison est menacée. Il ne reconnaît plus cette « *chose qui est moi* » (*V.*, p. 87). Il se retrouve à peine dans le miroir car « notre visage est cette partie de notre chair que modèle et remodèle, réchauffe et anime sans cesse la présence de nos semblables » (*V.*, p. 90).

1. L'argument ontologique inventé par saint Anselme (1033-1109) est une des plus célèbres preuves de l'existence de Dieu : il tire l'existence de Dieu de l'idée même que nous nous en faisons.

Être seul équivaut donc à ne pas être. Il s'aperçoit que l'argument ontologique [1] qui le séduisait beaucoup plus que la théorie du consentement universel (*V.*, p. 128) ne suffit pas à affirmer sérieusement ni l'existence de Dieu, ni l'existence humaine.

Si l'existence du moi est compromise par l'absence d'autrui, l'existence même des choses l'est également : « Mes relations avec les choses se trouvent [...] dénaturées par ma solitude » (*V.*, p. 53), observe Robinson. Pour Descartes, la possibilité de connaissance est fondée sur l'assurance du sujet en sa propre existence. Le « je pense, donc je suis » du *Discours de la méthode* est si ferme qu'il devient le premier principe de la philosophie. Descartes doute de toutes choses sauf de l'existence du sujet pensant. Or Robinson met en doute cette existence. Le moi « n'existe que de façon intermittente et somme toute assez rare. Sa présence correspond à un mode de connaissance secondaire et comme réflexif » (*V.*, p. 97). Le moi n'apparaît en effet que lorsque la question : « qui voit, qui sent ? » est posée. Dans *La Transcendance de l'ego*, Sartre insiste sur la nécessité de remplacer l'affirmation : « j'ai conscience de cette chaise » par l'impersonnel : « Il y a conscience de cette chaise [2]. »

1. J.-P. Sartre, *La Transcendance de l'ego*, p. 37.

Robinson s'inspire donc de la phénoménologie sartrienne lorsqu'il cherche à décrire la perception avant l'intervention de la conscience réflexive. Si l'acte de réflexion qui me fait surgir n'existe pas, il n'y a plus de séparation entre sujet et objet :

« Dans l'état primaire de la connaissance, la conscience que j'ai d'un objet est cet objet même, l'objet est connu, senti, etc., sans personne qui connaisse, sente » (*V.*, p. 97). Sartre au contraire ne pense pas que le sujet et l'objet de conscience puissent être identiques « car pour connaître l'être "tel qu'il est", il faudrait être cet être [...] et si je le devenais, le "tel qu'il est" s'évanouirait et ne pourrait même plus être pensé [1] ».

Robinson veut retrouver cet « état primaire de la connaissance », lié à un mode de connaissance affranchi de la conscience réflexive : « une île féconde et harmonieuse [...] sans moi, parce que si proche de moi que, même comme pur regard, c'en serait encore trop de moi et qu'il faudrait me réduire à cette phosphorescence intime qui fait que chaque chose serait connue, sans personne qui connaisse... » (*V.*, p. 100).

La présence d'autrui modifie cette perception des choses. Notre perception qui suppose la présence d'autrui, « arrache le sujet à l'objet ». Chaque objet est dégradé en sujet. « La musique du vent dans les palétuviers est réfutée : ce n'était qu'un ébranlement de tympan [...] Speranza [...] se meurt sous mon regard sceptique » (*V.*, p. 98). La virginité des choses avant l'émergence de la conscience individuelle est perdue. « Ce n'est [donc] pas le monde qui est troublé par l'absence d'autrui, au contraire, c'est le double glorieux du monde qui se trouve caché par sa présence », écrit Deleuze (Postface, p. 278).

« Autrui disparu, ce ne sont pas seulement les journées qui se redressent. Ce sont les choses aussi n'étant plus rabattues

1. J.-P. Sartre, *L'Être et le Néant*, p. 270.

les unes sur les autres. C'est le désir aussi, n'étant plus rabattu sur un objet, ou un monde possible exprimé par autrui [1]. »

À l'aspect destructeur de l'absence d'autrui succède donc une découverte positive qui remet en question la relation avec le monde comme la théorie de la connaissance. Elle modifie également les notions habituelles sur la conception individualiste du moi, le langage, la sexualité.

Le langage.

Robinson observe d'abord avec effroi les changements que la solitude fait subir à son langage. Il ne peut plus parler qu'« *à la lettre* ». Il voit « s'effondrer des pans entiers de la citadelle verbale dans laquelle notre pensée s'abrite » (*V.*, p. 68). L'image militaire souligne que la structure du langage est d'abord perçue comme un moyen de dompter le chaos de la réalité. La perte du langage équivaudrait à la suprême déchéance (*V.*, p. 53), Robinson retournerait à « l'abîme de bestialité où il avait sombré » (*V.*, p. 44).

Mais bientôt Robinson manifeste de plus en plus de méfiance à l'égard des « messages bavards que la société humaine lui transmet encore » (*V.*, p. 179). C'est « la parole intérieure » par laquelle « Dieu parle directement à sa créature », sans la médiation du langage, qu'il écoute.

Son langage manifeste de plus en plus de liberté à l'égard du référentiel. Avant l'explosion, Robinson « aurait obligé Vendredi à reconnaître qu'une fleur est une fleur et un papillon un papillon » (*V.V.S.*, p 109). Maintenant il accepte que « les mots volent d'une chose à une autre même

1. G. Deleuze, *Logique du sens*, p. 362.

si ça devait un peu embrouiller les idées »
(*V.V.S.*, p. 110). Dans *Vendredi ou les
Limbes du Pacifique,* le journal de Robinson
marque le triomphe progressif du langage
métaphorique sur le langage dénotatif[1],
triomphe qui devient éclatant au
chapitre 10.

1. Dont la si-
gnification est
objective.

C'est finalement une incitation au
silence comme à une forme de sagesse,
qui s'exprime dans *Vendredi ou la Vie
sauvage,* toujours plus explicite que
la première version. Quand les perroquets
envahissent l'île, répétant toutes les paroles
de Robinson et Vendredi, ce dernier
affirme : « Dans ma tribu [...] plus on est
sage, moins on parle [...]. Les animaux les
plus bavards sont les singes et, parmi les
hommes, ce sont les petits enfants et les
vieilles femmes qui parlent le plus »
(*V.V.S.*, p. 114).

C'est sur le silence de Robinson transformé en stylite et absorbé dans une
communion mystique avec les éléments
que s'achevait d'abord *Vendredi ou les
Limbes du Pacifique.* Seul le langage
absolu, immédiat, de la harpe éolienne,
langage élémentaire qui se développe
tout entier dans l'instant, devient apte
à traduire cette nouvelle relation au
monde où s'abolit l'individu. C'est le
chant du monde, le langage cosmique des
météores.

La sexualité.

La solitude modifie aussi la sexualité de
Robinson.

Dans le désir sexuel, Robinson voit
d'abord une ruse de la nature qui asservit
l'individu à l'espèce : « C'est apparemment

un plaisir égoïste que poursuivent les amants, alors même qu'ils marchent dans la voie de l'abnégation la plus folle » (*V.*, p. 131). L'instinct de mort, paradoxalement, est à l'œuvre dans l'acte de procréation : « Procréer, c'est susciter la génération suivante qui innocemment, mais inexorablement, repousse la précédente vers le néant. » Tournier rejoint là des réflexions de Freud, Bataille et Schopenhauer [1].

Mais en même temps qu'autrui disparaît de l'horizon de Robinson, il découvre une voie nouvelle, immédiate et ne passant plus par la femme. Son désir, détaché de son sujet, s'adresse aux éléments. « La conjugaison de la libido avec les éléments, telle est la déviation de Robinson » (Postface, p. 271), écrit Deleuze. Désormais, s'affranchir de l'individualité dans l'acte sexuel n'effraie plus Robinson :

« Qu'ai-je fait dans la combe rose ? J'ai creusé ma tombe avec mon sexe et je suis mort de cette mort passagère qui a nom volupté » (*V.*, p. 133).

Robinson voit même la conquête de la grande santé dans ses « amours ouraniennes ». Elles le « gonflent d'une énergie vitale » qui lui fournit « des forces pour tout un jour et toute une nuit » (*V.*, p. 230).

Cette dissolution du moi qui fusionne avec l'univers ne lui donne plus la sensation du néant mais celle du divin.

L'attitude nouvelle de Robinson vis-à-vis du langage, comme de la sexualité, montre que son retour aux origines n'est pas un retour aux origines sociales de l'homme mais à un stade qui précède la conception individualiste du moi.

1. S. Freud, « Au-delà du principe de plaisir », in *Essais de psychanalyse*. G. Bataille, *L'Érotisme*, p. 61. A. Schopenhauer, *Le Monde comme volonté et comme représentation*, ch. XVII, p. 1261.

B. L'ÉCHEC DE LA CIVILISATION

Vendredi ou les Limbes du Pacifique évoque un autre grand sujet : l'échec de l'entreprise occidentale sur la nature. La civilisation dont Robinson Crusoé faisait l'éloge est ici mise en question.

L'argent.

Au début du roman, Robinson fait l'éloge de l'argent : « ...l'homme vénal sait faire taire ses intérêts meurtriers et asociaux », écrit-il. Cet éloge annonce celui de l'or par l'alchimiste Prélati, dans *Gilles et Jeanne* (p. 65). À la fin du livre, au contraire, sa critique de la société capitaliste dont le but ultime est la recherche du profit est particulièrement vive : Au moment de l'arrivée du *Whitebird*, c'est avec « le détachement intéressé d'un entomologiste penché sur une communauté [...] de cloportes » (*V.,* p. 238) que Robinson observe « la brutalité, la haine, la rapacité de ces hommes civilisés et hautement honorables » (*V.,* p. 243) et qu'il dénonce « l'irrémédiable *relativité* des fins qu'il les voyait tous poursuivre fiévreusement. Car ce qu'ils avaient tous en but, c'était telle acquisition, telle richesse [...] mais pourquoi cette acquisition, cette richesse ? » (*V.,* p. 243).

Le racisme.

« La cupidité, l'orgueil, la violence » (*V.,* p. 238) des hommes du *Whitebird* ont aussi été le fait de Robinson, d'abord imbu de sa supériorité d'homme blanc. L'ironie du texte dénonce l'ingénuité de son racisme naïf. Robinson croit que Vendredi reçoit une âme des « mains de l'homme blanc », qu'il « appartient corps et âme à l'homme blanc. Tout ce que son maître lui ordonne est bien, tout ce qu'il défend est mal » (*V.*, p. 148).

L'absurdité de Robinson atteint son comble lorsqu'il ordonne à Vendredi, pour lui apprendre les vertus du travail, de « cirer [...] les galets et les cailloux de la voie principale » (*V.*, p. 151). Dans un éclair de lucidité, il a pitié de « cet enfant livré sans défense sur une île déserte à toutes les fantaisies d'un dément » (*V.*, p. 155). Sa folie lui apparaît. Mais elle ne lui est pas propre : elle est celle de toute une époque.

L'éducation.

En soulignant l'absurdité des méthodes tyranniques de Robinson, Tournier fait en effet la satire d'une éducation répressive. Car la relation civilisé-sauvage recouvre la relation adulte-enfant :

« Le couple enfant-adulte se retrouve dans le couple Robinson (barbe et peau de bique) et Vendredi (nudité et fous rires) », écrit Tournier [1].

L'Ancien Régime considère en effet l'enfant et le sauvage comme des êtres instinctifs, plus proches de la bête que de l'homme ou en relation avec un surnaturel démoniaque puisque la nature est déchue. Robinson nie à Vendredi la qualité d'être humain à part entière autant parce qu'il est un métis d'indien et de nègre que parce qu'il est un enfant. Vendredi est en fait « l'objet d'une sollicitude agressive de la part d'une société d'adultes (représentée ici par Robinson) auxquels un mortier de vieilles névroses et d'idées préconçues tient

1. « Quand Michel Tournier récrit ses livres pour les enfants », *Le Monde*, 24 décembre 1971.

1. « Point de vue d'un éducateur », *Le Monde*, 20 décembre 1974.

lieu de morale [1] ». La virulence de l'expression dénonce ce que cache le mot éducation.

Pour Tournier, c'est au contraire l'enfant qui a beaucoup à apprendre à l'adulte.

« Sans eux, notre vie est imparfaite et défectueuse [...] Parce que les passions naturelles de l'enfant s'appellent le feu, la mer, le cheval, l'arc, le cerf-volant, etc., il est pour l'adulte un alibi, un passeport, une clé, l'initié-initiateur grâce auquel son vieux copain va redécouvrir toutes choses dans leur fraîcheur première [2]. »

2. *Ibid.*

La nature.

À l'imitation de Vendredi, Robinson va faire de sa vie une existence dans l'instant présent, vouée au contact immédiat avec les éléments bruts. La reconquête du corps est une rééducation de tous les sens, une initiation à une sensualité nouvelle : « Nous vivons, hélas, dans une société sans odeur, sans saveur, sans contacts physiques, tout est dans le regard. Nous vivons dans un monde où l'on ne se touche plus, où l'on ne se sent même plus. Nous vivons dans la civilisation des déodorants [3]. »

3. « Tournier le sensuel », *Le Monde*, 13 août 1984.

Les hippies qui ont fait leur Bible de *Vendredi et les Limbes du Pacifique* ont bien saisi cette critique de notre civilisation coupée de ses racines naturelles, cet appel à une fusion régénératrice dans les éléments, comme la critique de la religion et du travail [4].

4. Se reporter au dossier n° 10.

Nouvel Ingénu, Vendredi donne, par son désintéressement, sa sensualité, sa joie de vivre, une leçon aux Européens cupides, violents, imbus de leur supériorité. Il retrouve la fonction remplie au XVIIIᵉ

1. Voir dossier n° 10 : « Le mythe du bon sauvage dans le *Supplément au Voyage de Bougainville* de Diderot. »

siècle par le bon sauvage, mythe de bonheur, mais avant tout mythe critique d'une société où le travail entraînait l'esclavage, où la religion se mettait au service d'un capitalisme avide de s'approprier les richesses d'autrui [1].

C. L'HUMOUR

L'éloignement où est tenu Robinson à l'égard de la civilisation favorise le regard critique analogue à celui de l'habitant de Sirius ou du Persan de Montesquieu. L'humour est lié à cette distance. De *Vendredi*, Deleuze écrit : « C'est un étonnant roman d'aventures comique et un roman cosmique d'avatars » (Postface, p. 259). Cette association du comique et du cosmique définit « l'humour blanc [...] qui possède une autre dimension, plus proprement métaphysique » (*V.P.*, p. 198) par opposition à « l'humour noir qui nargue la mort elle-même, mais sans l'arracher pour autant à ses cadres sociaux » (*V.P.*, p. 197).

Tournier en trouve le modèle chez Thomas Mann et chez Nietzsche (voir dossier n° 17).

Le « rire blanc » marque « l'émergence de l'absolu », c'est « le rire de Dieu ». L'homme qui rit blanc ne se veut pas dupe de « la cohérence, de la fermeté, de la consistance dont la société pare le réel », il dénonce « l'aspect transitoire, relatif, d'avance condamné à disparaître de tout l'humain » (*V.*, p. 199).

Les excès de Robinson révèlent la folie de sa rationalité, le délire de ses mesures.

La mégalomanie de ce démiurge dérisoire est grotesque, caricatural son puritanisme, ridicule sa déambulation majestueuse dans toute l'île, « le chef abrité sous une vaste ombrelle de peaux de chèvre que tient Vendredi » (*V.*, p. 151). Dans cette partie du roman où le présent se glisse dans le récit à la troisième personne, toujours écrit jusqu'alors au passé, le narrateur en sait plus que son personnage et, comme Dieu sa créature, il le juge et dénonce ses absurdités : « Il est bien de travailler nuit et jour au fonctionnement d'une organisation délicate et dépourvue de sens » (*V.*, p. 149). Ici l'ironie fait place à une critique directe. Cette « vision – par-derrière », selon la nomenclature de Jean Pouillon [1] s'oppose à la « vision – avec » (quand le narrateur en sait autant que son personnage) qui est dominante dans *Vendredi* (en-dehors du log-book).

La dimension parodique du roman apparaît dans la reprise d'images, comme celle du parasol de peaux de chèvre porté par Vendredi, popularisées par les illustrations du roman de Defoe ou dans l'utilisation de la Bible : le souvenir de l'arche de Noé donne à Robinson l'énergie de construire un navire de salut (*V.*, p. 27). Mais c'est pour mieux s'apercevoir qu'il a été ainsi induit en erreur (*V.*, p. 36), le bateau étant beaucoup trop éloigné de la mer.

Parodique encore la coïncidence entre le moment où Robinson invoque « une langue de feu dansant au-dessus de sa tête ou une colonne de fumée montant toute droite vers le zénith » (*V.*, p. 74), ce qui manifesterait la descente en lui de l'Esprit saint, et l'apparition d'un filet de fumée

1. J. Pouillon, *Temps et roman*.

blanche montant de la plage où les Indiens procèdent à leurs sacrifices !

Le rire de Vendredi « lyrique, blasphématoire » quand Robinson lui enseigne que « Dieu est un maître tout-puissant, infiniment bon », est bien proche du rire blanc de celui qui a vu que « les lattes disjointes de la passerelle où chemine l'humanité s'entrouvrent sur le vide sans fond » (*V.P.,* p. 199).

La malice de l'écrivain entretient la fonction subversive du rire quand il évoque la barbe de Robinson qui prend racine, la mandragore rayée qui trahit Vendredi, ou lorsqu'il joue avec les mots, butiner et lutiner (*V.,* p. 120), combe et lombes (*V.,* p. 127), tortue et torture (*V.,* p. 170) et quand il remarque qu'un génie facétieux a construit une tour à l'emplacement de la grotte, au moment de l'explosion.

Par cette tonalité particulière d'« humour blanc », Vendredi se distingue des contes philosophiques proprement français.

III UN ROMAN MYTHOLOGIQUE

A. MYTHE ET TEMPS

« Le mythe, écrit Lévi-Strauss, se définit par un système temporel [...] Un mythe se rapporte toujours à des événements passés : « avant la création du monde » ou

« pendant les premiers âges » en tout cas « il y a longtemps ». Mais la valeur intrinsèque attribuée au mythe provient de ce que ces événements censés se dérouler à un moment du temps forment aussi une structure permanente. Celle-ci se rapporte simultanément au passé, au présent, et au futur [1] ». La structure temporelle du mythe est double, historique et anhistorique.

1. C. Lévi-Strauss, *Anthropologie structurale*, p. 231.

Le temps historique.

Le livre commence le 29 septembre 1759 (*V.*, p. 10), la veille du naufrage de la *Virginie*. Les seules autres dates mentionnées dans le livre sont le 19 décembre 1787 (*V.*, p. 235), jour de l'arrivée du *Whitebird*, vingt-huit ans plus tard, et le 19 décembre 1737 (*V.*, p. 71) jour de la naissance de Robinson, précisée dans la Charte.

Le Robinson de Tournier fait naufrage exactement un siècle après celui de Defoe arrivé sur l'île le 30 septembre 1659 [2]. *Vendredi ou la Vie sauvage* précise : « On était au milieu du XVIIIᵉ siècle, alors que beaucoup d'Européens – principalement des Anglais – allaient s'installer en Amérique pour faire fortune » (*V.V.S.*, p. 10). Les grands voyages de Cook et de Bougainville ne sont sans doute pas étrangers à ce déplacement dans le temps. C'est de 1766 à 1769 que Bougainville exécute son voyage dans le Pacifique relaté dans son livre : *Voyage autour du monde* (1771). C'est en 1768 que Cook entreprit son premier voyage où il découvrit l'archipel des îles de la Société et la Nouvelle-Zélande. C'est aussi en 1759 que Rousseau achève la première version de l'*Émile* où

2. D. Defoe, *Robinson Crusoé*, p. 74.

il évoque en ces termes le roman de Defoe :
« Le plus heureux traité d'éducation
naturelle. Ce livre sera le premier que lira
mon Émile ; seul il composera durant
longtemps toute sa bibliothèque [1]. » La
date nouvelle où s'inscrit le voyage de
Robinson est donc surdéterminée.

1. J.-J. Rousseau, *Émile ou De l'Éducation*, p. 239.

Elle l'est plus encore si l'on s'aperçoit
que le 29 septembre est la fête de saint
Michel, le patron des voyageurs en mer
et le saint patron de Michel Tournier
lui-même, comme le 19 décembre est sa
propre date de naissance qu'il prête ici à
son héros Robinson.

Le temps du log-book.

Contrairement aux « écrits sinistres » de
Tiffauges, dans *Le Roi des Aulnes*, le
journal intime de Robinson n'est jamais
daté. C'est que ce journal, qui n'est pas
rétrospectif comme celui du Robinson de
Defoe, mais qui note les réflexions de
Robinson au jour le jour, est hors du
temps, Robinson ayant omis de noter
l'écoulement du temps au début de son
installation sur l'île.

« Robinson se trouvait coupé du calendrier des hommes, comme il était séparé
d'eux par les eaux, et réduit à vivre sur
un îlot du temps, comme sur une île dans
l'espace » (*V.*, p. 45).

Il ne trouve de repères que par rapport
à lui-même. Ainsi la Charte est-elle datée
du « 1 000e jour du calendrier local » (*V.*,
p. 71).

Parce qu'il est hors du temps, le
log-book permet d'introduire dans une
fiction du XVIIIe siècle les préoccupations
de l'homme du XXe siècle. L'alternance du

récit et du discours qui structure le livre permet un jeu subtil sur les temps : le passé simple associé au pronom « il » introduit la relation objective des événements que vient interrompre le log-book où le présent associé au « je », autorise la relation subjective et la réflexion sur ces mêmes événements.

Beaucoup de commentateurs ont noté que « l'originalité de cette nouvelle version de Robinson réside dans le décalage entre la lettre du récit et son esprit [1] ». « C'est Robinson revu et corrigé à travers Freud, Jung et Lévi-Strauss [2]. » Le log-book consigne les réflexions de Robinson, mais c'est un Robinson philosophe, notre contemporain, tout proche de Michel Tournier. Yves Berger, dans *Le Monde*, reprochait à « l'auteur [d'être] trop présent, trop voyant [3] ». *Vendredi ou les Limbes du Pacifique* est donc actuel parce qu'il est l'histoire de Robinson repensée par un homme de notre temps.

Il l'est aussi parce que Robinson est la victime et le héros de la solitude : « Cette solitude grandissante est la plaie la plus pernicieuse de l'homme occidental contemporain », écrit Michel Tournier dans *Le Vent Paraclet* (p. 221). Mais il observe aussitôt : « Cette solitude qui nous tue et nous rend fous, par une curieuse inversion des valeurs se pare à nos yeux de prestiges délicieux [...] Qui n'a rêvé de se retirer sur une île déserte ? » (*V.P.*, p. 226). Robinson devient alors le saint patron des bricoleurs ainsi que des adeptes du bronzage. Michel Tournier rêve d'actualiser encore plus le mythe de la solitude et d'écrire un Robinson des villes.

1. F. Nourissier, « Vendredi ou les Limbes du Pacifique, roman de Michel Tournier », *Les Nouvelles littéraires,* 23 novembre 1967.

2. Voir dossier n° 19.

3. Y. Berger, « Vendredi ou les Limbes du Pacifique de Michel Tournier », *Le Monde,* 18 mai 1967.

1. Temps des ori-
gines : formé sur
l'allemand « Ur »
indiquant une très
haute antiquité.

L'Ur-chronie [1].

Si le contenu manifeste de *Vendredi ou
les Limbes du Pacifique* se situe dans le
monde d'aujourd'hui ou un monde historiquement daté, le contenu latent, lui,
renvoie aux mythes d'origine.

Sur cette île déserte, inconnue des cartes
maritimes et donc hors du temps, dans les
Limbes du Pacifique, Robinson se vit
comme « Adam prenant possession du
Jardin ». Lorsqu'il découvre l'empreinte
d'un pied enfoncé dans la roche – son
empreinte – il y voit une sorte de « sceau »,
de « cachet séculaire » (*V.*, p. 57) imposé
à Speranza. Ce fantastique retour aux
origines est encore perceptible lorsque
Robinson quitte le marécage où il s'efforce
d'oublier sa solitude : la « statue de limon »
qui s'anime n'évoque-t-elle pas le premier
homme, fait d'argile, sortant des mains du
créateur ? C'est en effet au temps de la
Genèse qu'il se réfère lorsqu'il assimile
l'*Évasion* à l'arche de Noé et qu'il s'identifie, lui, Robinson, au « premier homme
sous l'Arbre de la Connaissance, quand
toute la terre était molle et humide encore
après le retrait des eaux » (*V.*, p. 31).

Son évolution ultérieure résume celle de
l'humanité : « Comme l'humanité de jadis,
il était passé du stade de la cueillette et
de la chasse à celui de l'agriculture et de
l'élevage » (*V.*, p. 47). Avec la redécouverte
de « cet acte sacré : écrire » (*V.*, p. 44) et
de la mesure du temps, il sort de la
préhistoire, « cette durée indéterminée,
indéfinissable, pleine de ténèbres et de
sanglots » (*V.*, p. 45). Ses greniers gorgés
de nourriture évoquent bientôt la société

capitaliste, la société de consommation. Il n'est pas jusqu'à l'explosion des tonneaux de poudre qui ne suggère, cette fois, dans le futur, une possible explosion atomique après laquelle l'homme devrait retourner aux origines, réinventer la vie sauvage.

« Le mythe du bon sauvage ne fit que relayer et prolonger le mythe de l'Age d'or, c'est-à-dire de la *perfection des commencements*. On reconnaît sans peine dans cette image de la Nature primordiale les caractéristiques d'un paysage paradisiaque », écrit Mircea Eliade [1].

1. M. Eliade, *Mythes, rêves et mystères*, p. 42.

Temps réversible et temps cyclique des mythes. La conquête de l'immortalité.

Le retour au temps originel implique une inversion du cours du temps. Dans *Le Politique*, Platon montre la divinité guidant la révolution circulaire de notre monde puis l'abandonnant à lui-même. Il tourne alors en sens opposé. Les cataclysmes sont suivis d'une régénération. Les hommes rajeunissent, les adolescents commencent à diminuer de stature, « aux vieillards les cheveux blancs noircissent [2] ».

2. Platon, *Le Politique*, p. 189.

Cette inversion du cours du temps dans *Vendredi ou les Limbes du Pacifique* est suggérée par l'arrêt de la clepsydre qui permettait à Robinson de maîtriser le temps :

« La goutte suivante apparaissait timidement sous la bonbonne vide, s'étirait, adoptait un profil piriforme, hésitait puis, comme découragée, reprenait sa forme sphérique, remontait même vers sa source, renonçant décidément à tomber et même amorçant une inversion du cours du temps » (*V.*, p. 93).

Robinson qui marche sur les mains, qui grimpe aux arbres, qui s'expose nu aux rayons du soleil est plus jeune que le puritain austère, à la barbe de patriarche, qui a débarqué sur l'île : il « avait rajeuni d'une génération » (*V.*, p. 191). Il était devenu le frère de Vendredi. Le mousse Jeudi succède sur l'île à Vendredi, rendant ainsi perceptible cette inversion fantastique.

Michel Tournier souligne l'importance du temps dans l'aventure de Robinson : « Au fond, tout le problème dans cette île pourrait se traduire en termes de temps » (*V.*, p. 60). Robinson observe : « Ce qui a le plus changé dans ma vie, c'est l'écoulement du temps, sa vitesse et même son orientation » (*V.*, p. 218). Il aspire à trouver « cette circularité du temps » (*V.*, p. 218) qui reste pour lui le secret des dieux : « ma courte vie était pour moi un segment rectiligne dont les deux bouts pointaient absurdement vers l'infini » (*V.*, p. 218). La ronde des heures ou le retour des saisons suggèrent un temps cyclique, celui de l'éternel retour, qui serait la clé de l'immortalité.

« Pour moi désormais, le cycle s'est rétréci au point qu'il se confond avec l'instant. Le mouvement circulaire est devenu si rapide qu'il ne se distingue plus de l'immobilité » (*V.*, p. 219). Quand l'arrivée du *Whitebird* l'invite à rentrer en Europe, il refuse de s'arracher à « cet éternel instant, posé en équilibre à la pointe d'un paroxysme de perfection » (*V.*, p. 246). Il vibre avec Speranza dans un « présent perpétuel, sans passé ni avenir » (*V.*, p. 246). Il a découvert « l'éternité sereine des Dioscures » (*V.*, p. 247).

B. MYTHE ET ESPACE

Le titre du livre focalise l'attention sur le lieu où se déroule l'intrigue : « Le Pacifique » en même temps qu'il suggère, assez mystérieusement, la suspension de tout repère spatial avec le mot : Limbes.

Le Pacifique.

Michel Tournier retrouve le lieu où s'est véritablement déroulée l'histoire de Robinson, de son vrai nom Alexandre Selcraig, telle que l'a rapportée le capitaine Woodes Rogers dans le journal de bord de sa « Croisière autour du monde », publié en 1712. Michel Tournier évoque dans *Le Vent Paraclet* l'aventure de Selkirk qui aborda en 1709 l'île Más a Tierra dans l'archipel Juan Fernández, à six cents kilomètres à l'ouest du Chili (*V.P.*, p. 214) [1]. Or Defoe a placé dans les Caraïbes l'aventure de Selkirk dont il fait Robinson. Michel Tournier explique ce déplacement : « sans doute parce que l'auteur visant au succès populaire a préféré cette région du globe plus connue et plus riche en légendes et en récits que l'archipel Juan Fernández » (*V.P.*, p. 217)

Outre l'hommage qu'elle rend à d'autres versions de l'histoire robinsonnienne comme *Suzanne et le Pacifique* de Giraudoux, la translation spatiale que Michel Tournier fait subir au récit de Defoe est à mettre en relation avec les grands voyages de Bougainville et de Cook qui sont les contemporains du Robinson de Tournier [2]. Diderot en écrivant *le Supplément au Voyage de Bougainville* et Giraudoux en écrivant *le Supplément au Voyage*

1. Voir dossier n° 3.

2. Bougainville, *Voyage autour du monde*, Cook, *Relation de voyage autour du monde*.

de Cook ont prolongé le succès de ces relations de voyage. La translation spatiale du mythe est donc liée à sa translation temporelle. Si les Caraïbes et ses pirates parlaient davantage que le Pacifique à l'imagination des contemporains de Defoe, le Pacifique, à partir du XVIIIe siècle et plus encore au XIXe et au XXe siècle, est devenu le lieu par excellence de l'exotisme où l'on fuit, tel Gauguin, les contraintes de la civilisation. Le Pacifique est le lieu mythique, à l'écart de la civilisation, où l'on peut encore rencontrer le bon sauvage.

Les Limbes

Cet espace vaste et lointain sert aussi de toile de fond à la projection d'un lieu irréel : « Les Limbes », hors du temps et de l'espace. Dans un article, « Les Mots sous les Mots » (*Le Débat,* 1985, n° 33), Michel Tournier formule lui-même la définition de ce terme qui lui est cher et qui donna tant de mal à ses traducteurs. C'est le « séjour des âmes des justes et des enfants morts sans baptême avant la venue de Jésus-Christ ». La connotation religieuse du mot s'explique par le sentiment qu'a Robinson d'être mort dans l'esprit de tous ceux qui l'ont connu. Les langues nordiques (anglais, allemand, scandinave) contrairement à l'italien, à l'espagnol et au portugais, ne peuvent traduire qu'imparfaitement ce terme. Ainsi l'allemand titre-t-il : *Freitag oder in Schlosse des Pazifik* que l'on rendrait par : « Vendredi ou le sein (ou le ventre) du Pacifique », et l'anglais : *Friday or the Other Island.*

N'étant indiquée sur aucune carte, l'île où a abordé Robinson est « dans un lieu suspendu entre ciel et enfers, dans les limbes, en somme » (*V.*, p. 130). Limbes signifie le bord, en latin classique. Terme théologique, emprunté au latin ecclésiastique du Moyen Âge, le mot désigne un séjour céleste, situé au bord du Paradis. Puis il finit par désigner le premier cercle de l'Enfer de Dante dans *La Divine Comédie*. Ce lieu d'attente entre Éden et Enfer prépare Robinson à recevoir une révélation.

L'île.

Robinson se trouve « réduit à vivre sur un îlot du temps comme sur une île dans l'espace » (*V.*, p. 45). C'est la fonction insulaire qui définit l'espace où vit Robinson.

Or l'île, comme les limbes, est un espace ambigu. Elle est d'abord perçue comme une prison : Robinson l'appelle « l'île de la Désolation » (*V.*, p. 18), nom longtemps donné aux îles Kerguelen. Defoe la nommait l'île du désespoir. Elle renvoie ainsi à tous les lieux d'exil qu'il s'agisse de l'île d'Elbe, de l'île du Diable, de Sainte-Hélène. Ce n'est que plus tard, une fois rebaptisée Speranza, qu'elle incarnera les valeurs de refuge et de protection contre les dégradations de l'histoire, évoquant dès lors les lieux de vacances où l'homme du XXe siècle cherche l'oubli, entre mer et soleil. Michel Tournier a traduit un livre de Erich Maria Remarque, intitulé : *L'île d'Espérance*, ce qui a pu

Clark & Pine Sc. 1720.

Carte de l'île Juan Fernández, 1719 ; extrait de *Robinson Crusoé* par Daniel Defoe.
Bibliothèque nationale, Paris. Ph. © Bibl. Nat.

influencer le choix du nom qui n'existe pas chez Defoe.

« L'île, c'est l'absolu par définition, la rupture du lien [1] », écrit Michel Tournier. C'est l'« utopie », au sens étymologique, le lieu de nulle part. Le milieu marin y gomme les saisons, le temps est immobile, l'île baigne dans l'éternité. Robinson y vit le retour à l'état adamique : « Chaque matin était pour lui [...] le commencement absolu de l'histoire du monde » (*V.*, p. 246).

L'île est un espace mythique qui rappelle le monde originel : c'est un espace sacré, préservé, évoquant l'Éden.

Un espace aimanté vers le haut.

Si l'espace de Robinson est limité, la dimension verticale lui rend sa valeur d'infini. Un dynamisme ascensionnel parcourt en effet le livre, lié à l'évolution spirituelle de Robinson. Il explore les profondeurs de l'île dans les épisodes de la souille et plus encore de la grotte. Tombé plus bas que l'humanité, il vit dans l'île de la Désolation. Mais l'ascension des arbres, le culte solaire liés à la découverte de « l'autre île », « l'île solaire » soulignent l'essor mystique de Robinson. À l'image du bouc, transformé en harpe éolienne, Robinson, pareil à la chrysalide qui se fait papillon, connaît une ascension vers le soleil.

Le livre s'achève sur une sorte d'apothéose : Robinson contemple l'île « du haut du piton rocheux » (*V.V.S.*, p. 151) : l'éclat solaire qui le couronne manifeste son éveil à la vie spirituelle.

1. « Les îles », *Silex*, n° 14, p.15.

Espace clos, espace ouvert.
Un espace vivant.

De la souille à la grotte, espaces clos où il cherche une protection contre les agressions extérieures, Robinson évolue vers l'ouverture au monde cosmique, au vent et au soleil. L'abandon de tout ce qui enferme et sépare, qu'il s'agisse des vêtements, du toit ou des murs de la forteresse, de l'arbre même, encore perçu comme un refuge (*V.*, p. 203), marque cette redécouverte de la fraternité originelle de l'homme et du monde élémentaire.

Au lieu d'un espace abstrait qu'il « quadrille » (*V.*, p. 54) pour mieux le dominer, le cultiver, le douer d'intelligibilité, Robinson découvre un espace sensible et vivant, pareil à un organisme, rappelant ainsi les termes de Platon dans le *Timée* :

« Il faut dire que ce monde, qui est un animal, véritablement doué d'une âme et d'une intelligence, a été formé par la providence du dieu [...] Dieu, voulant lui donner la plus complète ressemblance avec le plus beau des êtres intelligibles et le plus parfait à tous égards a formé un seul animal visible, qui renferme en lui tous les animaux qui lui sont naturellement apparentés. [1] »

L'homme et l'univers sont reliés par toute une série de correspondances, d'analogies, de sympathies et d'antipathies.

L'espace mythique est donc un espace vierge, évocateur du monde de la Genèse. C'est un espace ambigu, perçu d'abord comme infernal, où le héros au cours de sa métamorphose, apprend à redécouvrir l'Eden. L'ouverture au cosmos et le

1. Platon, *Timée,* p. 412.

mouvement ascensionnel rendent sensibles la révélation de la fraternité oubliée de l'homme et du monde.

C. MYTHE ET PERSONNAGES

Lors d'une émission télévisée, Lévi-Strauss explique :

« Un mythe est une histoire qui se passe à une époque où animaux et hommes n'étaient pas réellement distincts et pouvaient passer indifféremment de l'un à l'autre. L'âge des mythes est celui où la communication était possible, les êtres à cheval sur deux natures. »

Le paradoxe de ce roman de la solitude, c'est qu'il devrait être, avant l'arrivée de Vendredi, un roman sans personnages. Fort de la découverte d'un espace sensible, vivant, en correspondance avec l'homme, Robinson va faire jouer à l'île, au végétal, à l'animal, le rôle d'un autrui absent, comme dans les contes. Michel Tournier restitue à la nature cosmique l'importance qu'elle partage, dans les mythes, avec les hommes et les puissances surnaturelles.

A) SPERANZA

« Le héros du roman, c'est l'île autant que Robinson, autant que Vendredi », écrit Deleuze (*V.*, p. 256).

Dans le *Voyage autour du monde* de Bougainville, le récit de l'arrivée à Tahiti montrait que l'île bienheureuse était associée par les marins à la redécouverte d'une innocente sensualité, souvenir de l'âge d'or. Dans cette nouvelle Cythère, « la jeune fille parut aux yeux de tous telle Vénus se fit voir au berger phrygien [1] ». Dans *Vendredi*, c'est l'île elle-même qui devient femme.

Robinson découvre sa féminité secrète lorsqu'il compare la carte de l'île « au profil d'un corps féminin sans tête, une femme, oui, assise, les jambes repliées sous elle » (*V.*, p. 46). Il proclame cette féminité dans le nom qu'il lui donne, Speranza, en souvenir « d'une ardente Italienne qu'il avait connue jadis » (*V.*, p. 45).

Les valeurs de refuge et d'intimité, liées à un espace clos, amènent l'île à jouer le rôle de la mère puis de la fiancée et de l'épouse.

On perçoit l'animisme à sa naissance lorsque Robinson compare Speranza à « une de ces vaches à demi sauvages de la prairie argentine, marquées pourtant au fer rouge » (*V.*, p. 57) au moment où il découvre l'empreinte de son pied pétrifiée dans la vase. Mais la relation du maître à l'esclave se transforme peu à peu en relation d'identification : « Robinson n'est infiniment riche que lorsqu'il coïncide avec Speranza tout entière » (*V.*, p. 70). « Il y a désormais un "je" volant qui va se poser tantôt sur l'homme, tantôt sur l'île, et qui fait de moi tour à tour l'un ou l'autre » (*V.*, p. 89).

Dès lors Speranza devient une « personne » (*V.*, p. 101) dont il se demande si la grotte est la bouche, l'œil ou « quelque autre orifice naturel de ce grand corps » (*V.*, p. 102). Il est dans « le ventre de Speranza » (*V.*, p. 104) comme le fœtus dans le ventre de la mère. La valeur rassurante impliquée par une telle rêverie apparaît dans l'image de Speranza tel « un fruit mûrissant au soleil dont l'amande nue et blanche, recouverte par mille épaisseurs d'écorce, d'écale et de pelures s'appelait Robinson » (*V.*, p. 106). Ses souvenirs le ramènent à sa mère qu'il identifie à Speranza. Il est désormais le fils de Speranza dont les douces « ténèbres matricielles » (*V.*, p. 112) lui restituent la paix et l'énergie. Le filet d'eau qui suinte d'un mamelon de terre est comparable au lait et Robinson, assimilé au nouveau-né, vagit de reconnaissance (*V.*, p. 113).

Ce Robinson né de la terre renoue avec des mythes très anciens évoquant la naissance tellurique des êtres humains [1]. La crainte d'un rapport incestueux avec l'île mère, amène bientôt Robinson à abandonner cette exploration des profondeurs au bénéfice de la surface de l'île.

1. Voir dossier nº 14, p. 211.

L'herbe apparaît comme un pelage au regard animiste qui la contemple ; la « combe rose » évoque les « lombes », « cette belle plaine de chair tourmentée » (*V.*, p. 127). La terre et la femme échangent leur vocabulaire avant d'échanger leurs attributs : le sexe de Robinson creuse le sol : « Il embrassait de toutes ses forces ce grand corps tellurique » (*V.*, p. 126).

Mais la morale du quaker ne peut s'accommoder d'une simple satisfaction sexuelle. Il veut officialiser leurs rapports, leur donner une dimension conjugale. Il adresse à Speranza un « cantique d'amour » auquel elle répond par l'intermédiaire du Cantique des cantiques. « La Bible débordante d'images qui identifient la terre à une femme ou l'épouse à un jardin accompagnait ses amours du plus vénérable des épithalames » (*V.*, p. 136).

Cette lecture, qui le conforte dans la perception de « la présence presque charnelle de l'île contre lui » (*V.*, p. 126), est possible grâce à une lecture naïve qui intervertit le comparé et le comparant.

L'île épouse va bientôt lui donner des enfants, les mandragores, car l'île garde les pouvoirs qu'avait la terre, à l'origine des temps, de créer directement des êtres humains [1]. Robinson croit reconnaître ses filles dans les racines dont la forme évoque le corps humain.

La mandragore est la créature hybride, à cheval sur deux natures, qui actualise le temps mythique où le passage entre les règnes humains et végétaux était possible. Michel Tournier lui enlève tous les aspects effrayants de sa légende tels que les avait développés la littérature germanique.

« La racine charnue et blanche, curieusement bifurquée, figurait indiscutablement le corps d'une petite fille. Il tremblait d'émotion et de tendresse en replaçant la mandragore dans son trou et en ramenant le sable autour de sa tige, comme on borde un enfant dans son lit » (*V.*, p. 138).

Il lui restitue l'innocence d'une image paradisiaque comme le suggère le rapprochement avec le Cantique des cantiques : « Les mandragores feront sentir leur parfum » (*V.*, p. 137).

B) LES ARBRES

Comme dans les contes, le végétal est promu au rang de personnage.

Dès le premier chapitre apparaît « un cèdre gigantesque qui prenait racine aux abords de la grotte [et] s'élevait, bien

1. Voir dossier n° 14, p. 212 (la légende rapportée par Barthélemy d'Herbelot).

au-dessus du chaos rocheux, comme le génie tutélaire de l'île » (*V.*, p. 18). Robinson dont l'attention est entièrement dirigée vers la mer est pourtant sensible aux « gestes apaisants » de ses branches. « Cette présence végétale le réconforta » (*V.*, p. 18). L'animisme perceptible dans les mots : « gestes apaisants », « présence », comme si l'arbre compatissait à la douleur de Robinson, se manifeste encore lors de la première union avec Speranza « salué(e) véhémentement par les trois pins unanimes auxquels répondit l'ovation lointaine de la forêt tropicale » (*V.*, p. 127).

Bientôt Robinson imagine que les branches des arbres pourraient se métamorphoser « en femmes lascives et parfumées » (*V.*, p. 121). L'écorce lisse et tiède « d'un quillai [1] », « douillette même à l'intérieur de la fourche dont l'aisselle était fourrée d'un lichen fin et soyeux » (*V.*, p. 121), l'amène à explorer la voie végétale. La personnification de l'arbre, devenu partenaire sexuel, est soulignée par la majuscule ajoutée au nom commun : « Il connut de longs mois de liaison heureuse avec Quillai » (*V.*, p. 122). Une piqûre d'araignée, assimilée à une maladie vénérienne, lui fait abandonner cette voie.

L'arbre est dès lors vécu comme un refuge maternel. Quand il évoque sa mère, c'est d'ailleurs à un arbre que Robinson la compare, « tel un arbre ployant sous l'excès de ses fruits, elle portait ses six enfants indemnes sur ses épaules, dans ses bras, sur son dos, pendus à son tablier » (*V.*, p. 108). L'arbre est associé à l'image de la femme forte, « pilier

1. Nom d'un arbre.

Traité d'alchimie. XIVe siècle. Bibliothèque Mediceo-Laurenziana, Florence.
Ph. Éditions Gallimard.

« Il agiterait dans l'air cette exubérance délicate, ce bouquet de fleurs charnelles, et une joie pourpre le pénétrerait par le canal du tronc gonflé de sang vermeil. »

auctoritate Dyascoridis. Radicē mādragore
multi dant ad amorē.

La mandragore. Bibliothèque nationale, Paris. Ph. © Bulloz.
« Il avait entendu raconter merveille de cette solanacée qui croît au pied des gibets,
là où les suppliciés ont répandu leurs ultimes gouttes de liqueur séminale, et qui est
en somme le produit du croisement de l'homme et de la terre. »

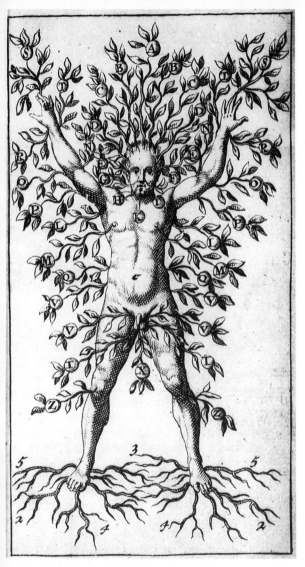

Homme végétal. Gravure tirée de *Compendium anatomicum nova methodo institutum* de Jean Casé. Bibliothèque centrale de la Faculté de médecine, Paris. Ph. de la Bibliothèque.

« Robinson hésita plusieurs jours au seuil de ce qu'il appellerait plus tard la *voie végétale*. »

de vérité et de bonté », qui unit force et douceur.

Vendredi passe ses journées entières dans le « berceau » (*V.*, p. 201) des branches maîtresses des araucarias. Son nom, l'Araucan, suggère, sinon une filiation, du moins une correspondance avec l'arbre.

Malgré les risques de chute et de vertige, les valeurs enveloppantes et rassurantes l'emportent lorsque Robinson grimpe à son tour aux araucarias : il appuie sa joue contre le tronc ; il est sensible à l'oscillation qui le berce ; le gémissement de l'arbre dans le vent devient « une apaisante rumeur » (*V.*, p. 203).

Comme l'île, tour à tour mère ou amante, l'arbre est bientôt vécu sur le mode de l'identification.

Robinson rêve d'une métamorphose en arbre. La feuille étant le poumon de l'arbre, « il rêva de ses propres poumons, déployés au-dehors, buisson de chair purpurine, polypier de corail vivant, avec des membranes roses, des éponges muqueuses [...] Il agiterait dans l'air cette exubérance délicate, ce bouquet de fleurs charnelles, et une joie pourpre le pénétrerait par le canal du tronc gonflé de sang vermeil... » (*V.*, p. 204).

La même image de bonheur est associée à la fleur, le sexe de l'arbre :

« La plante naïvement offre son sexe à tout venant comme ce qu'elle a de plus brillant et de plus parfumé. Robinson imaginait une humanité nouvelle où chacun porterait fièrement sur sa tête ses attributs mâles ou femelles – énormes, enluminés, odorants... » (*V.*, p. 121).

La métamorphose est rêvée comme un renoncement à notre monde et à notre mode d'existence. L'arbre propose en effet à l'homme un modèle de vie en communion avec les grandes forces du cosmos : « Il participait à l'évidente fonction de l'arbre qui est d'embrasser l'air de ses milliers de bras, de l'étreindre de ses millions de doigts » (*V.*, p. 202).

La circulation entre les règnes est si fortement imaginée que Robinson en s'éveillant, « constata que sa barbe en poussant au cours de la nuit avait commencé à prendre racine dans la terre » (*V.*, p. 138).

Les frontières entre le monde humain et le monde végétal sont gommées comme dans le mythe de Psyché transformée en laurier, rapporté par Ovide dans *Les Métamorphoses*. Les contes sont les héritiers de ces mythes. La littérature germanique qui, plus qu'une autre, a le sens cosmique d'une correspondance profonde entre la nature et l'homme et de leur fusion possible, n'est pas étrangère à ces thèmes.

L'explosion déracine le grand cèdre comme elle déracine, en Robinson, l'être tellurique qui comparait son grand corps blanc à une racine (*V.*, p. 156). Il est désormais livré par Vendredi à tous les souffles aériens : « Ce nouveau coup [...] achevait de rompre les derniers liens qui attachaient Robinson à son ancien fondement » (*V.*, p. 190).

La mystérieuse correspondance de Robinson avec l'arbre le prépare à l'union avec les météores.

C) LES ANIMAUX

La solitude de Robinson promeut également l'animal au rang de personnage à part entière.

Le début du livre décrit en abondance des animaux inspirant l'effroi et le dégoût. « Le cercle des poulpes, des vampires et des vautours » (*V.*, p. 49) obsède Robinson. Un petit poulpe lui envoie un jet d'eau qui l'atteint avec « une diabolique précision » (*V.*, p. 48). Un vampire aux « ailes griffues et déchiquetées de monstre » vide de son sang un chevreau. Ce sont tous des séides de la mort comme les vautours « bossus, goitreux et pelés » (*V.*, p. 48), perçus de façon révélatrice, comme des « vieillards lubriques ». Les crabes de palmiers scient les noix de coco, inspirant une répulsion à l'égard d'une terre « pleine de maléfices » (*V.*, p. 34). La description des vautours, des crabes, du « cheucau », cet oiseau dont le cri le remplit de crainte superstitieuse, est empruntée au *Voyage d'un naturaliste autour du monde* de Charles Darwin (voir dossier n° 12).

Ces animaux de cauchemar s'opposent aux oiseaux blancs, mouettes (*V.*, p. 253), albatros (*V.*, p. 213) qui emplissent les dernières pages du livre.

Personnages secondaires à la présence obsédante, ils expriment, par leur opposition, les deux visages, tantôt maléfique (dans l'île de la Désolation), tantôt glorieux (dans l'île d'Espérance), d'une nature vivante, entretenant avec l'homme de puissantes sympathies ou antipathies.

Tenn dont la présence s'impose par ses disparitions et ses retours, est au contraire un véritable personnage, plus humain que son maître en voie de déshumanisation. Le chien domestique, fidèle à la civilisation, refuse d'abord son maître déchu (*V.*, p. 32). Son regard fait prendre conscience à Robinson de l'abîme de bestialité dans lequel il a failli sombrer. « Le sauvage de nous deux, c'était moi » (*V.*, p. 64). Le retour de Tenn marque le retour de Robinson à la civilisation. C'est paradoxalement le chien qui réapprend à sourire à son maître : « Tenn faisait toujours sa grimace et Robinson le regardait passionnément afin de recouvrer la plus douce des facultés humaines » (*V.*, p. 91). Le sourire du chien se reflète sur le visage de son maître. L'animal, par une inversion plaisante, est le dépositaire des vertus de la civilisation. Sa mort est liée au retour de Robinson à la vie sauvage. Mis en péril par Vendredi dans la rizière, il est sur le point de se noyer (*V.*, p. 161), avant de mourir symboliquement dans l'explosion qui abolit la civilisation.

Andoar est un « bouquetin gros comme un ours », le chef du troupeau de chèvres que Vendredi va combattre d'égal à égal. Il apparaît d'emblée comme un animal exceptionnel : « Andoar ne s'était pas acharné sur lui après l'avoir à moitié assommé, comme l'aurait fait n'importe quel autre bouc... » (*V.*, p. 195).

La description l'humanise : « Il ricana dans sa barbe et se dressa sur ses pattes de derrière » (*V.*, p. 196). On pense à ces créatures hybrides de la mythologie, au satyre ou au silène. Vendredi voit se pencher sur lui « un masque de patriarche sémite, aux yeux verts tapis dans des cavernes de poils, à la barbe annelée, au mufle noir que tordait un rire de faune » (*V.*, p. 196). Le mot de faune incite à voir en lui plus qu'une créature humanisée, une véritable divinité de la nature. L'allusion au théâtre et aux drames satyriques grecs est sensible lorsqu'il hoche ses immenses cornes « comme s'il saluait une foule au passage » (*V.*, p. 196).

L'animal est divin, lié au feu génésique, symbole de vie, comme dans la tradition de l'Inde où il est identifié à Agni, dieu du feu. « Le bouc est Agni, le bouc est la splendeur », est-il écrit dans l'*Atharva Veda* [1]. Ses cornes sont comparées à « deux longues flammes noires » (*V.*, p. 195), c'est « un crépitement de sabots sur les pierres » (*V.*, p. 197) qui annonce sa présence dans le cirque dont le soleil occupe le centre. Sa transfiguration en « grand oiseau de couleur vieil or » (*V.*, p. 204), après sa mort, confirme cette vocation solaire.

La phase éolienne prépare la phase solaire : Vendredi transforme la peau du bouc sacrifié en cerf-volant et convertit son crâne en harpe éolienne [2]. La musique élémentaire qui s'échappe du massacre unit « la voix ténébreuse de la terre, l'harmonie des sphères célestes et la plainte rauque du grand bouc sacrifié » (*V.*, p. 209). Andoar transfiguré évoque ici le dieu Pan, le dieu de la nature cosmique divinisée. La musique extatique où Robinson et Vendredi perdent conscience d'eux-mêmes est une musique dionysiaque qui

1. J. Chevalier, A. Gheerbrant, *Dictionnaire des symboles,* p. 40.

2. Voir dossier n° 13.

abolit les frontières de l'individu pour assurer sa fusion dans le Grand Tout.

Andoar est donc le personnage mythologique par excellence en qui se fondent les natures animale, humaine et divine. Le bouc est l'animal tragique qui symbolise la nature cosmique et la force de l'élan vital divinisé. La carte du tarot appelée le Capricorne suggérait Andoar et soulignait l'importance symbolique, dans le récit, du bouc, le Satan de l'imagerie chrétienne, transfiguré ici en dieu Pan, avec l'inversion des valeurs que cela entraîne.

D) VENDREDI

Vendredi donne son nom au roman de Michel Tournier ce qui souligne son importance dans cette récriture de *Robinson Crusoé*. Il représente le primitif par opposition au civilisé Robinson.

L'Indien.

C'est un Indien, métissé de noir, cette différence de couleur de peau expliquant qu'il ait été choisi comme victime (*V.*, p. 142). Aux yeux du raciste Robinson, il est donc « au plus bas degré de l'échelle humaine » (*V.*, p. 146). Il a quinze ans, il est à peine sorti de l'enfance, ce qui augmente le dédain de Robinson pour qui « un sauvage (et plus encore un sauvage enfant) n'est pas un être humain à part entière » (*V.*, p. 146). Son nom inspiré du jour de la semaine où il fut sauvé reflète cette insignifiance.

Entre plante et dieu.

Ses relations particulières avec la nature font d'emblée de Vendredi un personnage mythologique. Ce sauvage résout avec une égale aisance tous les problèmes de Robinson : la voracité d'une colonie de fourmis le débarrasse des rebuts ; les bolas, ces galets ronds qui tournoient en étoile, lui assurent une arme silencieuse. Il confectionne un bouclier avec une carapace de tortue, fabrique un cerf-volant et une harpe éolienne. Dans *Vendredi ou la Vie sauvage*, il invente la cuisine à l'argile, la broche à œuf. Son ingéniosité infinie est à l'image de sa maîtrise.

Sa familiarité est très grande avec le monde animal : il dort enlacé à Tenn selon l'habitude des Indiens de se protéger du froid avec une vivante couverture (*V.*, p. 144), ce que l'animal farouche accepte, au grand scandale de Robinson. Le bouc Andoar, le magnifique « roi des chèvres de Speranza » (*V.V.S.*, p. 120) est considéré par lui comme un rival à part entière. D'ailleurs Vendredi affirme : « Anda n'est pas un animal domestique » (*V.V.S.*, p. 119). Robinson conclut : « Ses relations avec les animaux sont elles-mêmes plus animales qu'humaines [...] Il est reçu et accepté par les bêtes comme l'une d'elles » (*V.*, p. 171).

Sa familiarité avec le monde végétal n'est pas moins évidente. L'Araucan vit dans les arbres, il passe des jours entiers dans un « hamac de lianes tressées » (*V.*, p. 190). Il se déguise en « homme plante » ou inversement habille les cactus, transformés en fantastiques « mannequins végétaux » (*V.*, p. 159). Et la nature végétale lui obéit : les arbustes « déracinés et replantés à l'envers, les branches enfouies dans la terre et les racines dressées vers le ciel » (*V.*, p. 163) montrent des pousses vertes à la pointe des racines.

Robinson se demande bientôt si ce sous-homme, cet enfant, cet esclave n'est pas un maître que son aveuglement seul lui fait ignorer : « Il ne se demandait plus si ce geste était celui du chien fidèle qui rapporte, ou au contraire celui d'un maître si impérieux qu'il ne daigne même plus exprimer ses ordres » (*V.*, p. 191).

On peut dire que c'est Dionysos le dieu de la nature, qui se profile derrière Vendredi ainsi décrit : « L'Araucan avait dissimulé sa tête sous un casque de fleurs. Sur tout son corps nu, il avait dessiné avec du jus de génipapo des feuilles de lierre dont les rameaux montaient le long de ses cuisses et s'enroulaient autour de son torse. Ainsi métamorphosé en homme plante, secoué d'un rire démentiel, il entoura Robinson d'une chorégraphie éperdue » (*V.*, p. 164).

N'est-ce pas le dieu de la végétation, le dieu du défoulement libérateur, celui qui « répand la joie à profusion », ainsi que l'appelle Hésiode, « le jeune garçon divin », Dionysos en personne, qui s'avance ici masqué ?

Sa beauté est le reflet de son harmonie avec la nature : « Il semble drapé dans sa nudité [...] Il va, portant sa chair avec une ostentation souveraine » (*V.*,

p. 221). Sa force physique n'a d'égale que son extrême agilité : il marche sur les mains, grimpe aux arbres, lance des flèches. Cette beauté qui associe la grâce à la force – la danse caractérise Vendredi – est l'image d'une perfection surnaturelle.

Observons que Vendredi n'évolue pas. Il n'a besoin de rien ni de personne. Son indépendance est absolue, divine.

Au carrefour des natures animales, humaines et divines, Vendredi illustre donc bien le caractère mythologique des héros de Michel Tournier.

Celui qui inverse les signes.

Son rôle va être d'abord de détruire l'œuvre de l'Occidental qui est à tous égards sa vivante antithèse. L'adolescent chevelu et imberbe s'oppose à l'adulte rasé et barbu, comme le noir s'oppose au blanc, l'être éolien à l'être tellurique, « le "natif" primesautier, prodigue et rieur » à « l'Anglais méthodique, avare et mélancolique » ? (*V.*, p. 188)

Le saule planté à l'envers et dont la sève inverse son cours est symbolique de l'inversion que Vendredi fait subir à l'ordre économique et moral instauré par Robinson. Il assèche la rizière, élève des rats, apprivoise des vautours, profane « la combe rose », provoque l'explosion qui anéantit tous les souvenirs de la civilisation. L'esclave devient le maître, le fils devient le frère, c'est le nègre – le « bougnoule » – qui enseigne les règles de la vie nouvelle. Aux tenants de la contre-culture, Michel Tournier, l'élève de Claude Lévi-Strauss qui a montré les richesses des civilisations dites primitives, dédie son livre :

« Oui, j'aurais voulu dédier ce livre à la masse énorme et silencieuse des travailleurs immigrés de France, tous ces Vendredi dépêchés vers nous par le tiers monde, ces trois millions d'Algériens, de Marocains, de Tunisiens, de Sénégalais, de Portugais sur lesquels repose notre société » (*V.P.*, p. 236).

L'initiateur.

L'inversion se montre créatrice : Vendredi est l'initiateur : il ouvre la voie vers l'homme nouveau qui, oubliant la civilisation, peut accéder à l'innocence.

Vendredi apprend à Robinson l'innocence du rire. « Le rire dévastateur » de Vendredi est d'abord celui d'un « possédé ». Ses éclats de rire sont « diaboliques » (*V.*, p. 154). Mais le rire apparaît bientôt comme un épanouissement, l'expression de la joie de vivre, l'arme idéale contre « la bêtise et la méchanceté » (*V.*, p. 217). Vendredi réconcilie Robinson avec son corps : « Il découvrait ainsi qu'un corps accepté, voulu, vaguement désiré aussi [...] peut être non seulement un meilleur instrument d'insertion dans la trame des choses extérieures, mais aussi un compagnon fidèle et fort » (*V.*, p. 192). Robinson adopte une attitude différente à l'égard de la nature entière, attitude faite de sympathie, de confiance, d'adhésion, loin de la méfiance puritaine aux yeux de laquelle la nature déchue est vouée au mal. Le culte du soleil exprime cette fusion avec la nature, sorte de retour au panthéisme. Ces découvertes s'accompagnent d'une nouvelle gestion du temps : la jouissance de l'instant présent se substitue à la rumination du passé ou à l'élaboration constante de l'avenir. Loin d'un « monde d'usure, de poussière et de ruines » (*V.*, p. 246), Vendredi, « ivre de jeunesse et de disponibilité » (*V.*, p. 160) adhère à l'instant, « ce présent perpétuel, sans passé ni avenir » (*V.*, p. 246).

Enfin Vendredi réapprend à Robinson la valeur de l'acte gratuit, du jeu. Sa sagesse apparaît quand il invente des exutoires à sa colère : c'est l'épisode de la poupée de bambou et de la statue de sable, lorsqu'il montre – épisode ajouté dans *Vendredi ou la Vie sauvage* – le bon usage de la poudre, non plus pour détruire, mais pour faire des feux d'artifice.

Jamais Vendredi n'ordonne, il montre, et Robinson l'imite. C'est le sens de la gémellité de Robinson et Vendredi. Comme ils échangent leurs costumes et leurs noms (*V.*, p. 212), leurs âmes se mêlent, se confondent ; ils deviennent « unanimes ». Vendredi est donc le médiateur vers un ordre supérieur, un ailleurs où Robinson initié découvre « une autre île », « un autre Vendredi ». « Un nouveau Robinson se débattait dans sa vieille peau et acceptait à l'avance de laisser crouler l'île administrée pour s'enfoncer à la suite d'un initiateur irresponsable dans une voie inconnue » (*V.*, p. 189).

E) ROBINSON

Robinson est un personnage mythologique du seul fait qu'il échappe à l'œuvre qui l'a vu naître, le *Robinson Crusoé* de Daniel Defoe, pour inspirer une multitude d'ouvrages : « *Le Robinson des demoiselles, Le Robinson des glaces* (de Fouinet, 1835), *L'Ile mystérieuse* de Jules Verne, *Suzanne et le Pacifique* de Jean Giraudoux, *L'Ile des mères* de Gerhart Hauptman [1] » auxquels il faudrait ajouter *Le Robinson allemand* de J.H. Campe, *Le Robinson suisse* de Wyss (adapté par Mme de Montolieu) et le Albert Julius de J.G. Schnabel dans *L'Ile de Felsenburg* (1828), sans compter les adaptations cinématographiques comme celle de Buñuel.

1. « Tournier face aux lycéens », *Le Magazine littéraire*, nº 226.

« Si nous le rencontrons dans tant d'œuvres, c'est parce que nous le rencontrons dans la vie [...]. C'est l'un des modèles fondamentaux grâce auxquels nous donnons un contour, une forme, une effigie repérée à nos aspirations et à nos humeurs », affirme Michel Tournier (*V.P.*, p. 190).

Le héros de la solitude.

Comme tous les grands mythes, celui de Robinson sert à « sauvegarder une certaine *inadaptation* de l'individu dans la société ». Il nous aide à préserver notre liberté face à une « organisation étouffante » (*V.V.*, p. 31-32). Le Robinson de Tournier qui, après vingt-huit ans de solitude refuse de quitter son île, fait bien partie de ces révoltés tels Faust, Don Juan, Don Quichotte qui, chacun à leur façon, disent *non* à la société.

L'homme d'aujourd'hui se retrouve en Robinson car « la solitude grandissante est la plaie la plus pernicieuse de l'homme occidental contemporain » (*V.P.*, p. 221). Michel Tournier explique comment la richesse et la liberté nouvelle de l'Européen face à sa famille, à sa religion, fait qu'il n'est plus soutenu comme autrefois par la solidarité du groupe. Dans la foule anonyme des grandes villes, la folie, la drogue et le suicide montrent quel fléau peut représenter pour les plus faibles cette solitude.

Mais Robinson « n'est pas seulement la victime de la solitude, il en est aussi le héros » (*V.P.*, p. 225). Il finit par l'apprivoiser, la rendre séduisante, la vaincre : l'attrait des vacances sur les plages de sable, le bricolage, le jardinage sont désormais associés à l'image de Robinson. L'homme moderne qui s'identifie à Robinson y trouve ainsi un réconfort.

Cette actualité propre au personnage mythologique ne l'empêche pas d'être aussi, d'abord, un puritain anglais du XVIIIe siècle.

Le puritain anglais.

Un portrait précis de Robinson est fait au début du livre, par le capitaine : il a vingt-deux ans, a quitté femme et enfants pour chercher fortune dans le Nouveau Monde. Le portrait physique : cheveux ras, barbe rousse et carrée, « regard clair [...] avec je ne sais quoi de fixe et de limité », austérité de la mise, met l'accent sur le puritanisme du personnage marqué par une éducation protestante rigide. Le capitaine résume Robinson en trois mots « Vous êtes pieux, avare et pur » (*V.*, p. 8).

Pieux.

C'est en effet à la secte des quakers qu'appartient Robinson, fils d'un drapier d'York. Contrairement aux protestants, Robinson n'a jamais été un grand lecteur des textes sacrés (*V.*, p. 26). Même après son naufrage où il prend l'habitude de lire chaque jour la Bible, seul viatique spirituel qui lui soit accordé par la Providence, il continue d'écouter « la voix de l'Esprit saint qui est en nous » (*V.*, p. 50), fidèle en cela à l'enseignement de sa mère, « femme *inspirée* » qui, plus que la Bible « livre dicté par Dieu certes, mais écrit de main humaine » (*V.*, p. 107) écoutait « la source de sagesse qu'elle sentait jaillir au fond d'elle-même ». La secte des quakers que Voltaire évoque avec admiration et un peu d'ironie dans les quatre premières *Lettres philosophiques*, a pour principes la simplicité des mœurs, le pacifisme, le refus des sacrements comme des conventions sociales. Dans sa charte, Robinson se réfère au « Vénéré Ami George Fox » (*V.*, p. 71) le fondateur de la « Société des Amis ». Les exercices religieux rythment dès lors la vie sur l'île avec le jeûne du vendredi, le repos du dimanche.

Avare.

L'autre maître à penser de Robinson est Benjamin Franklin, ce puritain de Boston, né en 1706, qui est surtout connu pour l'invention du paratonnerre. Il était imprimeur et journaliste et publia les « Almanachs » où sont consignées des maximes. L'avarice de Robinson

Robinson Crusoé, film de Luis Buñuel. Ph. © Cinémathèque française.

« ... un homme noir et nu, l'esprit dévasté par la panique, inclinait son front jusqu'au sol, et sa main cherchait pour le poser sur sa nuque le pied d'un homme blanc et barbu, hérissé d'armes, vêtu de peaux de biques, la tête couverte d'un bonnet de fourrure et farcie par trois millénaires de civilisation occidentale. »

Pêcheur. Ph. © George Rodger/Magnum.

puise sa source dans cette prétendue sagesse. L'une des principales règles est la thésaurisation. « Toute consommation est destruction, et donc mauvaise » (*V.*, p. 61), pense Robinson qui s'interdit de consommer sa première récolte, obéissant ainsi à la maxime assez cocasse : « Celui qui tue une truie anéantit sa descendance jusqu'à la millième génération [1] » (*V.*, p. 140). L'intérêt prime tout. C'est encore par intérêt qu'il faut être vertueux. Pas plus que l'argent ou les provisions, il ne faut gaspiller son temps. La pauvreté est le grand vice : la civilisation est associée à la richesse.

1. Cité par Max Weber dans l'*Éthique protestante et l'esprit du capitalisme*, p. 47.

Les pages du chapitre qui semblent inspirées du livre de Max Weber sur *L'Éthique protestante et l'esprit du capitalisme*, définissent la morale de Robinson, celle du salut par le travail et la production. Car le travail a une signification religieuse. C'est une pénitence qui sauve de la chute. Max Weber observe : « Il est bien convenu que le protestantisme a été l'un des agents les plus importants du développement du capitalisme [...] C'est tout le contraire de la joie de vivre qui caractérise les puritains anglais [2]. ». Michel Tournier lui fait écho dans *Le Vent Paraclet* : « Partant du calvinisme », la morale consignée dans les *Almanachs* de Benjamin Franklin « aboutit à la société libérale et capitaliste » (*V.P.*, p. 233).

2. *Ibid.*, p. 38.

Pur.

Van Deyssel nous met d'emblée en garde contre la pureté de Robinson : « Gardez-vous de la pureté. C'est le vitriol de l'âme » (*V.*, p. 14). Car le puritanisme de Robinson est l'expression extrême du « dressage antihumain » sur lequel se greffe « l'obsession anti-charnelle qui tient lieu de morale à notre société » (*V.P.*, p. 223). Michel Tournier dénonce dans *Le Vent Paraclet* cette attitude contre nature qui explique les frustrations de Robinson : l'épisode de la fabrication du pain où la pâte évoque pour Robinson la sensation d'un grand corps lascif, montre bien ses refoulements. Pour rester pur, pour se maintenir à « hauteur d'homme » (*V.*, p. 65), Robinson s'inflige les châtiments de son Code pénal. À la nature assimilée au chaos, il veut imposer l'« ordre moral » (*V.*, p. 50) : il veut tout codifier. Son désir d'organisation tourne au délire : d'abord gouverneur, il devient roi puis s'assimile au démiurge lui-même.

Cette pureté dangereuse qui lui fait regarder avec méfiance l'ordre naturel explique encore son racisme : « Cet Araucanien costinos est bien loin d'être un pur sang, et tout en lui trahit le métis noir ! Un Indien mâtiné de nègre ! » écrit Robinson (*V.*, p. 146).

Les caractéristiques de Robinson ne sont donc pas individuelles ni psychologiques, elles renvoient, comme dans l'épopée, forme littéraire qui est l'héritière du mythe, aux particularités d'un groupe social et religieux. C'est en quoi Robinson est un personnage mythologique. On peut même voir en lui l'archétype de l'homme occidental aux ambitions prométhéennes.

« L'homme nouveau ».

Après le retour aux origines du monde suggéré par la descente dans la souille, image du chaos, Robinson, pareil, sur cette île inconnue, au premier homme sur la terre, parcourt toutes les étapes de l'humanité [1]. Mais le roman ne se veut pas seulement rétrospectif comme celui de Defoe ; il se veut prospectif. L'île déserte fait table rase du monde ancien pour créer un « homme nouveau ».

Purifié par les quatre éléments [2], le civilisé puritain s'ouvre au monde sauvage et devient un être élémentaire. Les frontières entre les règnes s'abolissent. Robinson est « le dernier être de la lignée humaine appelé à un retour aux sources végétales de la vie » (*V.*, p. 121). Speranza lui donne des filles, les mandragores.

Il s'identifie bientôt à Andoar : « Ce vieux mâle solitaire et têtu avec sa barbe de patriarche et ses toisons suant la lubricité, ce faune tellurique âprement enraciné de ses quatre sabots fourchus dans sa montagne pierreuse, c'était moi » (*V.*, p. 227).

La mort du bouc qui joue à la fois le rôle de double animal et de bouc émissaire exprime symboliquement la mort du premier Robinson.

La proximité nouvelle avec la nature est aussi une proximité avec les astres : Robinson rêve devant la pleine lune, pareille à un œuf cosmique contenant deux jumeaux en gestation.

« Dans sa blancheur albumineuse, de vagues figures se dessinent pour disparaître lentement, des membres épars se

1. Voir « Mythe et temps », p. 56.

2. Voir « Un roman initiatique », p. 124.

joignent, des visages sourient un instant, puis tout se résout en remous laiteux » (*V.*, p. 231).

Robinson s'assimile aux Dioscures, nés de l'œuf de Léda fécondée par le Cygne jupitérien. Robinson roux comme le soleil n'est-il pas promu de toute éternité à la dignité de fils du Soleil ? « Le premier rayon qui a jailli s'est posé sur mes cheveux rouges, telle la main tutélaire et bénissante d'un père » (*V.*, p. 216). La cérémonie de l'adoubement traduit son accession à un état surhumain, celui de « chevalier solaire ».

Comme les grands initiés, Robinson atteint l'état divin exprimé par l'androgynat.

« S'il fallait nécessairement traduire en termes humains ce coït solaire, c'est sous les espèces féminines, et comme l'épouse du ciel qu'il conviendrait de me définir [...] En vérité, au suprême degré où nous avons accédé, Vendredi et moi, la différence des textes est dépassée » (*V.*, p. 230).

Robinson réalise les paroles de l'évangile de Thomas :

« Lorsque vous ferez du masculin et du féminin un Unique afin que le masculin ne soit pas un mâle et que le féminin ne soit pas une femelle alors vous entrerez dans le Royaume [1] ! »

Ce dépassement des contraires figurés par les sexes souligne que Robinson échappe aux limites de la condition humaine. Il acquiert les pouvoirs de l'androgyne. Le temps s'arrête et devient réversible. Il rajeunit d'une génération puis conquiert l'immortalité « cet éternel instant, posé en équilibre à la pointe d'un

1. L'Évangile selon Thomas, p. 22.

paroxysme de perfection » (*V.*, p. 246). Il retrouve la puissance physique de l'androgyne sphérique de Platon lorsqu'il rêve de transformer « son corps en une main géante dont les cinq doigts seraient tête, bras et jambes » (*V.*, p. 192). Il accède en même temps à la plus haute connaissance selon *L'Éthique* de Spinoza : « La pure contemplation artistique ou religieuse » (*V.P.*, p. 236), se plaçant ainsi dans la perspective gnostique où « Connaissance et Rédemption vont de pair [1] ».

Cet homme nouveau qu'incarne finalement Robinson, accède à la perfection divine de l'androgyne mythique.

1. J. Libis, *Le Mythe de l'androgyne*, p. 123.

D. MYTHE ET RÉCRITURE

A) L'AVENTURE DE SELKIRK ET LE ROMAN DE DEFOE

Toute écriture mythique implique une série de variantes. Defoe part d'un événement historique, le voyage de Selkirk, dont un compte rendu historique est donné par le capitaine Woodes Rogers [2] (voir dossier n° 1). Les hommes de son bateau, le *Duke*, avaient découvert, le 31 janvier 1709, dans l'archipel Juan Fernández, un personnage nommé Alexandre Selcraig, Écossais qui après une vie d'aventurier avait décidé de rester sur l'île Más a Tierra où il avait vécu seul, quatre ans et quatre mois. Tournier évoque cette anecdote dans *Le Vent Paraclet* et montre toutes les modifications géniales que Defoe fait subir à l'histoire dans sa version romancée. Defoe allonge la durée de la solitude du

2. Capitaine Woodes Rogers, *A cruising voyage round the world*. Michel Tournier reprend à Woodes Rogers l'épisode de la chute de Robinson du haut d'une falaise, épisode non exploité par Defoe (voir dossier n° 1 *bis*). Mais au lieu de Robinson, c'est Vendredi qui tombe en poursuivant le bouc Andoar.

héros qui passe de quatre ans à vingt-huit ans. Crusoé est jeté sur son île à la suite d'un naufrage et non d'une incompatibilité d'humeur avec son commandant. Surtout Defoe invente le personnage de Vendredi (*V.P.*, p. 218) [1].

1. Voir dossier n° 3.

B) *VENDREDI OU LES LIMBES DU PACIFIQUE*, RÉCRITURE DE *ROBINSON CRUSOÉ*

Vendredi ou les Limbes du Pacifique fonctionne comme un hypertexte, selon la terminologie de Genette [2], par rapport au *Robinson Crusoé* de Defoe, *Vendredi ou la Vie sauvage* étant dès lors une récriture au second degré, un hyper-hypertexte.

2. G. Genette, *Palimpsestes*.

Contrairement à beaucoup d'adaptations très libres comme celles de Giraudoux ou de Saint-John Perse, la récriture de Tournier suit de très près son modèle jusqu'à l'explosion de la grotte où le texte de Tournier se sépare résolument de celui de Defoe.

« Il y a des différences, ces différences constituant une sorte de commentaire sur l'original et affirmant la distance de la "copie" à l'original tandis que les similitudes indiquent que c'est néanmoins une copie », écrit Margaret Sankey [3].

3. M. Sankey, « Meaning through intertextuality », *Australian Journal of French studies*. Voir dossier n° 20.

Le narrateur dans Robinson Crusoé *et dans* Vendredi ou les Limbes du Pacifique.

Le narrateur du *Robinson Crusoé* de Defoe raconte sa propre histoire. Il écrit bientôt un journal, à la première personne également, qui constitue comme un duplicata des événements déjà racontés.

Ce journal, qui s'arrête dès que l'encre manque à Robinson, n'apporte aucun élément nouveau au récit. Il sert donc seulement à mettre en relief le fait d'écrire car l'écriture représente la civilisation. Quant à l'usage de la première personne dans l'ensemble du roman il authentifie la fiction, il fait qu'elle devient histoire et assure, par la coïncidence de l'auteur et du narrateur, sa ressemblance avec la réalité.

Le texte de Tournier est écrit au contraire à la troisième personne qui alterne avec la première personne du log-book ; cela implique la présence d'un narrateur capable de parler de Crusoé, de lire ses pensées (mais pas celles de Vendredi). La distance narrative entre le narrateur et le héros reflète la distance temporelle qui sépare *Robinson Crusoé* de *Vendredi ou les Limbes du Pacifique*, distance rendue sensible par l'emploi de l'ironie, toujours absente au contraire dans le log-book. Loin de doubler le récit à la troisième personne, le log-book consigne les réflexions de Robinson.

Margaret Sankey suggère une autre explication à l'emploi de la troisième personne : Robinson arrive à la fin du livre de Tournier à un stade qui est au-delà du langage et de l'écriture qui impliquent la succession temporelle. Le Robinson de Tournier qui vit alors dans un éternel présent ne peut donc écrire sa propre histoire, nécessairement relatée par un narrateur à la troisième personne [1].

Comme toute récriture, celle de Tournier obéit à quatre opérations distinctes : la suppression, l'ajout, le déplacement et

1. Voir dossier n° 20.

la substitution, au sens de nouvelle formulation.

Suppressions.

Michel Tournier supprime toutes les aventures préinsulaires et postinsulaires du héros de Defoe, aventures qui occupent plus de la moitié de son *Robinson Crusoé*. De la vie de Robinson sur l'île, il supprime encore l'épisode du tremblement de terre (*R.C.*, p. 123) [1], la maladie de Robinson associée à l'apparition de son père dans un cauchemar (*R.C.*, p. 131), la seconde résidence de Robinson dans l'île, tout ce qui a trait au perroquet (*R.C.*, p. 154), aux chats, la dangereuse promenade en mer de Robinson (*R.C.*, p. 188) et le naufrage d'un navire à proximité de l'île (*R.C.*, p. 237).

Ajouts.

Il ajoute la découverte macabre du capitaine van Deyssel dévoré par les rats, la descente dans la souille (le héros de Defoe ne connaît pas ce moment de total abandon), l'hallucination de la sœur morte (qui remplace peut-être l'apparition du père), l'escalade des arbres pour observer le soleil levant, la harpe éolienne, en somme tout ce qui a trait au voyage initiatique de Robinson.

Sont ajoutés également l'épisode de l'amour avec Quillai, la découverte des mandragores, la combe rose, tout ce qui est lié à la sexualité de Robinson, ainsi que toutes les citations précises de la Bible.

L'explosion est l'événement nouveau, capital, à partir duquel Tournier inverse le mythe de Robinson Crusoé et innove totalement : à la victoire de la culture sur

1. *Robinson Crusoé* de Daniel Defoe sera abrégé *R.C.*

la nature dans l'œuvre de Defoe fait place
la victoire de la nature sur la culture dans
l'œuvre de Tournier.

Déplacements.

Certains épisodes sont conservés et même
avec une très grande fidélité mais subissent
une translation : ainsi la première réaction
du Robinson de Tournier n'est pas de
sauver tout ce qu'il peut du navire
naufragé mais d'observer la mer pour
signaler sa présence (*V.*, p. 21-23). Il pense
d'abord à quitter l'île et construit l'*Évasion*
(*V.*, p. 34-36).

Ce n'est qu'après s'être construit une
demeure, après avoir établi un calendrier
et commencé un journal que le Robinson
de Defoe observe la mer (*R.C.*, p. 80) et
construit une pirogue qu'il ne peut finalement mettre à flot (*R.C.*, p. 140). Les
erreurs des deux Robinson sont tout à fait
identiques. Mais l'échec du Robinson de
Tournier est plus grave du fait de cette
translation : il signifie la fin de l'espoir de
quitter l'île, le début d'une vie nouvelle.

Une autre translation significative
concerne le début du journal : c'est avant
de construire une habitation et dès qu'il
a pris la décision d'organiser l'île que le
Robinson de Tournier décide de tenir son
log-book (*V.*, p. 44). La réorganisation du
monde intérieur préexiste à la réorganisation du monde extérieur.

Au contraire l'écriture ne fait, chez
Defoe, que refléter l'ordre rétabli à l'extérieur : « Ayant surmonté ces faiblesses et
mon domicile et mon ameublement étant
établis aussi bien que possible, je commen-
çai mon journal » (*R.C.*, p. 81).

Substitutions et inversions.

Très souvent Tournier reprend les éléments fournis par Defoe, en les inversant :

L'île est baptisée « île du désespoir » par le Robinson de Defoe que nous appellerons désormais Robinson I. Celui de Tournier, Robinson II, l'imite en baptisant la sienne « île de la désolation » (*V.*, p. 18-45) mais très vite il l'appelle « Speranza ».

On observe la même inversion au sujet de la poudre. Robinson I prend conscience, un jour d'orage, du danger qu'il court en la remisant dans des barils, au même endroit. Il divise aussitôt sa poudre en petites quantités qu'il disperse, excluant ainsi la possibilité de l'explosion qui pulvérise la grotte de Robinson II.

Le chien chez Defoe n'a qu'un rôle secondaire (*R.C.*, p. 74). Il rejoint Robinson dès qu'il visite le navire échoué (*R.C.*, p. 196) et meurt plus tard de vieillesse. Chez Tournier, le chien est un initiateur qui réapprend la vie civilisée à un Robinson retombé dans la sauvagerie.

Defoe décrit une rencontre saisissante avec un bouc[1], épisode auquel Tournier donne un développement symbolique inversé. Le bouc est découvert mourant dans une caverne : « un vieux, un monstrueux, un épouvantable bouc semblant [...] lutter avec la mort ». Robinson I ne voit d'abord, dans l'ombre que « deux grands yeux brillants » qui « étincelaient comme deux étoiles » et dont il se demande s'ils sont « de diable ou d'homme » (*R.C.*, p. 193-194). Le grandissement épique de l'animal est-il contenu dans la comparaison de ses

1. Voir dossier n° 2.

yeux à deux étoiles ou dans l'allusion à Satan ? Tournier fait du bouc une véritable incarnation du dieu Pan, image inversée de Satan et assure à celui qui meurt dans les ténèbres une assomption solaire que suggéraient peut-être les « étoiles » de ses yeux. Robinson I pense à mourir « comme le vieux bouc dans la caverne » (*R.C.*, p. 196) identification reprise par Robinson II.

Les objets sont traités de façon opposée : Robinson I façonne une pipe « fort laide, fort grossière et en terre cuite rouge » (*R.C.*, p. 159) bien des années après son arrivée. « La grande pipe en porcelaine » du capitaine est au contraire retrouvée par Robinson II « intacte malgré sa fragilité dans sa cheminée de tabac » (*V.*, p. 25).

Robinson I utilise les plumes, l'encre et le papier trouvés dans le vaisseau et il cesse d'écrire quand l'encre vient à manquer. Robinson II se munit d'une plume de vautour qu'il trempe dans la teinture rouge extraite du diodon (*V.*, p. 44) avant que Vendredi ne lui conseille une plume d'albatros trempée dans la teinture bleue des feuilles d'isatis (*V.*, p. 214). Les pages des livres blanchies par l'eau de mer lui fournissent le papier.

Les moments marquants de l'aventure de Robinson I sont repris mais inversés tel l'épisode de l'empreinte d'un pied humain dans le sable. À cette vue Robinson I est frappé de terreur, il s'enfuit dans sa forteresse. Il pressent la fin de sa domination sur l'île, l'empreinte étant probablement celle d'un cannibale. Plus tard, il se demande si cette empreinte ne serait pas la sienne, et revient sur les lieux.

Mais l'empreinte n'est pas la sienne. Sa domination sur l'île est définitivement compromise. Robinson II fait la même découverte : « Il fut frappé comme par la foudre en apercevant l'empreinte d'un pied nu » (*V.*, p. 56) mais il vérifie aussitôt qu'il s'agit bien de son pied, ce qui le confirme dans son sentiment de domination.

Cette opposition se retrouve avec l'apparition de Vendredi dans les deux textes : la première arrivée des cannibales amène Robinson I à souhaiter un esclave pour l'aider dans ses travaux. Il calcule qu'il devra lui sauver la vie pour que celui-ci lui doive reconnaissance : « J'étais manifestement appelé par la Providence à sauver la vie de cette pauvre créaure » (*R.C.*, p. 218).

C'est malgré lui que Robinson II sauve Vendredi : voyant deux sauvages en poursuivre un troisième qui se dirige vers lui, il veut tirer sur le poursuivi pour n'être pas inquiété. Les sauvages, pense-t-il, croiront à une intervention divine. Tenn, dont Robinson immobilise la gueule sous son bras pour l'empêcher d'aboyer, modifie le tir de son maître. Vendredi est donc sauvé par hasard ou par la Providence et les relations de Vendredi et Robinson II commencent par un quiproquo, la reconnaissance du sauvage à l'égard de Robinson II n'étant guère méritée (*V.*, p. 143). La scène où Vendredi s'agenouille et met le pied de Robinson sur sa tête en guise de soumission est reprise à Defoe (*R.C.*, p. 218) mais c'est une reprise parodique.

L'inversion est donc une constante de la récriture par substitution.

Un Robinson plus extrême.

La volonté de poser les problèmes de façon plus extrême caractérise aussi la récriture de Tournier.

L'indifférence à l'égard de la religion du Robinson de Defoe est plusieurs fois soulignée. Il évoque « sa vie licencieuse », se dit « le plus impie d'entre tous nos marins » (*R.C.*, p. 100). Seul son sauvetage sur l'île l'amène à penser à la Providence et à lire la Bible.

Le Robinson de Tournier est au contraire un puritain austère. C'est sa vie sur l'île et son évolution vers une vie élémentaire qui le détachent de la Bible, trajectoire inverse.

Les conséquences de ces différences sont importantes : Robinson I n'a pas le sérieux ni la passion maniaque de l'organisation qui caractérisent Robinson II. S'il lui arrive de songer avec plaisir qu'il est « roi et seigneur absolu de cette terre » (*R.C.*, p. 111-114), c'est avec humour qu'il évoque son repos « entouré de [ses] courtisans ».

« Là régnait ma Majesté le Prince et Seigneur de toute l'île. J'avais droit de vie et de mort sur tous mes sujets » (*R.C.*, p. 164).

Tournier reprend l'idée de Robinson I mais il la pousse à l'extrême : Robinson II, totalement dépourvu d'humour énonce une Charte de l'île assortie d'un Code pénal.

Après la récolte du blé, Robinson I affirme : « J'aurais pu récolter du blé de quoi charger des navires ; mais n'en ayant que faire, je n'en semais que suivant mon besoin » (*R.C.*, p. 144). Le travail est modéré par les besoins. Robinson II augmente au contraire la quantité de blé produite, frénésie dont l'absurdité finit par lui apparaître mais qui est liée à sa conception calviniste du travail. Le travail sert ici à écarter l'angoisse (*V.*, p. 79). Le désir de thésauriser est étranger à Robinson I. « Le ladre le plus rapace de ce monde aurait été guéri de son vice de convoitise s'il se fût trouvé à ma place » (*R.C.*, p. 145), écrit-il. Il prend conscience de l'inutilité de l'argent : « Ô drogue ! à quoi es-tu bonne... Tu ne vaux pas pour moi, non tu ne vaux pas la peine que je me baisse pour te prendre » (*R.C.*, p. 67). Robinson II fait au contraire l'éloge de l'argent (*V.*, p. 61).

Le tic-tac machinal de la clepsydre traduit « l'activité dévorante » (*V.*, p. 115) de Robinson II. Jamais le héros de Defoe ne mesure le temps avec cette précision.

Ce côté excessif de Robinson II ressort également de ses relations avec Vendredi.

Robinson I rencontre un Vendredi adulte, qui a vingt-six ans et dont il admire d'emblée la beauté. Il établit avec lui des relations patriarcales et à travers un dialogue raisonné, il en fait un bon chrétien.

Robinson II dénie d'emblée sa qualité d'homme à Vendredi, plus jeune dans la version de Tournier (il a quinze ans) et métis d'Indien et de Noir, ce qui augmente le sentiment de supériorité de Robinson. L'éducation qu'il dispense est une véritable dictature où il cherche à imposer par la violence ses convictions, ce qui entraîne son échec.

Robinson cultive son jardin. Gravure sur bois anonyme. Extrait de la revue *De Atlantis,* mai 1966. Ph. Éditions Gallimard-D.R.

« Vendredi a appris assez d'anglais pour comprendre les ordres de Robinson... Il sait défricher, labourer, semer, herser, repiquer, sarcler, faucher, moissonner, battre, moudre, bluter, pétrir et cuire. »

Mais au-delà de ces suppressions, de ces ajouts, de ces translations, de ces inversions ludiques, ce qui a le plus frappé les commentateurs c'est le décalage entre l'histoire que Tournier respecte, même s'il lui fait subir une translation d'un siècle, et les réflexions du log-book qui sont celles d'un homme du XXᵉ siècle. C'est en quoi réside, par-delà le jeu d'une récriture inversée ou plus contrastée, l'intérêt renouvelé du mythe de Robinson.

C) *VENDREDI OU LES LIMBES DU PACIFIQUE* ET *SUZANNE ET LE PACIFIQUE* DE GIRAUDOUX

1. J. Giraudoux, *Suzanne et le Pacifique*, (sera abrégé en *S.P.* dans ce chapitre).

Giraudoux dans *Suzanne et le Pacifique* [1] formule à l'égard du *Robinson Crusoé* de Defoe diverses critiques qui suggèrent l'inversion du mythe et le rôle prépondérant de Vendredi. Ces critiques pourraient avoir inspiré Tournier qui a lu Giraudoux [2].

2. « Tournier face aux lycéens », *Le Magazine littéraire*, nº 226, janvier 1986, p. 22.

Critique de Robinson.

Dans la cachette abandonnée par le naufragé qui l'a précédée, Suzanne trouve en effet le roman de Defoe. Elle découvre avec surprise en Robinson un Allemand laborieux – Crusoé vient de Kreuzer – à la lourdeur toute germanique, qui lui semble un peu ridicule. « Pas une seule [gravure] qui me le montrât en repos. » L'activité effrénée du héros de Tournier semble s'accorder à cette critique.

Ce Robinson ne connaît « aucun des deux périls de la solitude, le suicide et la folie » (*S.P.*, p. 227). L'épisode de la souille et de l'hallucination dans *Vendredi ou les Limbes du Pacifique* remplit cette lacune.

Il ne brûle « jamais sa forteresse dans un élan vers Dieu » (*S.P.*, p. 227). Le Robinson de Tournier que travaille une sourde métamorphose ne rêve-t-il pas avant l'explosion de « brûler ses récoltes », de « faire sauter ses constructions » ? « Il rêvait de quelque séisme qui pulvériserait Speranza » (*V.*, p. 125).

Suzanne observe qu'il ne songe jamais à une femme. La sexualité de Robinson II, même si elle prend des directions nouvelles, s'oppose au silence du texte de Defoe.

Suzanne se moque des ombrelles de Robinson, de son fusil, de ses brouettes, paniers et jarres. Elle appelle une conversion à la vie sauvage et à la nudité. Pourquoi cultiver si laborieusement l'orge quand l'arbre à pain permet de cueillir le pain sans effort ?

Elle lui reproche de ne parler que du goût des oiseaux et jamais de leurs chants. La phase créatrice et poétique qu'éveille Vendredi répond à cette critique.

Pour se moquer, elle songe à marquer l'empreinte de sa main dans le sable ! Quelle ne serait pas la terreur de Robinson ! La souplesse de son corps, capable de marcher sur les mains, évoque celle de Vendredi.

Éloge de Vendredi.

À cette critique d'un Robinson maniaque et méfiant succède un vibrant éloge de Vendredi : « Le moindre de ses pas en dehors du chemin battu de Robinson, je sentais qu'il eût mené à une source ou à un trésor » (*S.P.*, p. 229). Le rôle de

Vendredi comme initiateur est en germe dans cette remarque.

Le Vendredi de Tournier est en effet très proche de Suzanne. Il cache, comme elle, son corps nu sous les feuilles : « Je le colle à un arbre par des lianes de sa couleur » (*S.P.*, p. 239), dit-elle. La souplesse et la force de Vendredi n'ont d'égales que celles de Suzanne qui grimpe aux arbres (*S.P.*, p. 120). Vendredi est un être éolien, Suzanne une fille oiseau (*S.P.*, p. 117), « la reine des oiseaux » (*S.P.*, p. 140). Comme il vit sans souci dans une île généreuse qui satisfait tous ses besoins, elle vit comme « une oisive et une milliardaire » (*S.P.*, p. 113).

Suzanne et Robinson.

Le Robinson de Tournier emprunte à Suzanne certaines de ses trouvailles. Comme lui, elle écrit. Pour lutter contre l'oubli, elle grave « des phrases sur les arbres et dans le roc ». Elle compose « dans les clairières des mots immenses, mosaïques un peu précaires ». L'île est couverte de noms propres qui brillent le soir (*S.P.*, p. 171). L'analogie est frappante avec les inscriptions que Robinson impose à son île quand sa mémoire lui restitue les maximes de Benjamin Franklin. Il les incruste en « mosaïques » sur la paroi de la grotte, les fait flamber « en lettres de feu sur la grève » (*V*, p. 139). C'est la même « écriture géante » (*S.P.*, p. 172) qu'inscrivent « les rondins plantés dans le sable des dunes » (*V.*, p. 139) à cette différence près que l'utilitarisme proclamé n'a rien de poétique.

L'épisode du Quillai dans *Vendredi ou les Limbes du Pacifique* semble prolonger une découverte de Suzanne : « d'un tronc lisse sortait une branche, une hanche de femme entière, toujours au soleil, chaude comme si la métamorphose venait juste d'avoir lieu, et je la caressais, un peu curieuse, comme si venait d'avoir lieu, à cette place, la faute qui vous change en arbre » (*S.P.*, p. 115).

Suzanne vit dans l'univers des mythes où le passage d'un règne à l'autre n'est pas exclu. Le livre de Giraudoux qui place Suzanne entre plantes et dieux, ses seuls voisins, (*S.P.*, p. 158) appelle un prolongement mythologique.

Au contact de la nature et du soleil, sa morale change, comme celle de Robinson. Elle découvre l'innocence :

« Tous ces jugements que j'avais appris à porter machinalement sur leurs vices, leurs vertus furent soudain périmés. Desséchés par ce soleil tropical, greffes stupides, préjugés, bon sens et bon goût tombèrent par vieillesse de moi. Le soleil se levait [...] Une telle lumière s'installait sur le monde que tout ce que j'appelais jusqu'à ce jour crime ou défaut ou turpitude en était lavé » (*S.P.*, p. 185).

Pour échapper à la solitude, Suzanne pense à la cocaïne (*S.P.*, p. 164) et au rêve qu'elle va chercher « jusqu'au faîte des arbres » ; les vapeurs méphitiques de la souille jouent le rôle d'une drogue pour Robinson II, qui lui aussi cherche l'évasion dans les rêves. Même le thème de la gémellité est effleuré par Giraudoux (*S.P.*, p. 238). Suzanne se dédouble, joue plusieurs personnages : Tournier fera de Robinson le jumeau de Vendredi.

Suzanne est donc à la fois Robinson et Vendredi. Elle rencontre d'une certaine manière Robinson à travers toutes les traces qu'il a laissées sur l'île ; le noyé « aux cheveux roux et ras » (*S.P.*, p. 198), découvert sur la grève, l'évoque également.

Le livre de Giraudoux semble avoir inspiré à Tournier l'idée d'une conversion possible de Robinson à la vie sauvage. A l'opposé du livre de Defoe qui était un hymne au pouvoir créateur de l'homme, ce livre est un hymne à la fusion dans une nature généreuse. En dénonçant Robinson qui encombre déjà « sa pauvre île comme sa nation plus tard allait faire le monde, de pacotille et de fer-blanc » (*S.P.*, p. 227), il contient en germe la critique de la société et les préoccupations écologiques de *Vendredi ou les Limbes du Pacifique*.

D) *VENDREDI OU LA VIE SAUVAGE*, RÉCRITURE DE *VENDREDI OU LES LIMBES DU PACIFIQUE*

En 1971, Michel Tournier donne une version réduite de *Vendredi ou les Limbes du Pacifique*. C'est *Vendredi ou la Vie sauvage* (151 pages au lieu de 245 pages). Est-ce une version pour les enfants ? Michel Tournier s'oppose à cette interprétation qu'il juge réductrice. La récriture de son livre constitue pour lui un effort vers la perfection.

Dans un article du *Monde* publié le 21 décembre 1979 et intitulé : « Michel Tournier : comment écrire pour les enfants », Tournier déclare :

« Les plus hauts sommets de la littérature mondiale s'appellent *les Contes* de Perrault, les *Fables* de la Fontaine, *Alice au pays des merveilles* de Lewis Carroll, *Nils Holgerson* de Selma Lagerlöf, *Les Histoires comme ça* de Kipling, *Le Petit Prince* de Saint-Exupéry. Ces œuvres se signalent par trois caractéristiques : leur limpidité, leur brièveté, les choses essentielles qu'elles osent aborder. On s'accorde à les déclarer "pour les enfants". C'est rendre un très grand hommage aux enfants et admettre avec moi, qu'une œuvre ne peut aller à un jeune public que si elle est parfaite. »

Il revient sur cette idée au moment de la publication de *La Goutte d'Or* :

« Je travaille dans le sens de l'épuration, de la simplicité. Mon rêve ? Que *La Goutte d'Or* puisse être lue par des enfants de douze ans. Au début de mon œuvre, j'avais Thomas Mann pour idéal, aujourd'hui, c'est Kipling et London. Tenez, je vais vous donner un exemple précis qui n'aura pas besoin de commentaire. Dans *Vendredi ou les Limbes du Pacifique*, j'écrivais :

« Sur la plage, la yole et la pirogue commençaient à s'émouvoir inégalement des sollicitations de la marée montante. »

D'une telle phrase, il y a quinze ans, j'étais très fier. Eh bien, deux ans plus tard, je donnais *Vendredi ou la Vie sauvage* et cette même phrase est devenue :

« Sur la plage, le canot et la pirogue commencent à tourner, atteints par les vagues de la marée montante. »

Fini le charabia. Voici mon vrai style destiné aux enfants de douze ans. Et tant mieux si ça plaît aux adultes. Le premier *Vendredi* était un brouillon, le second est le propre ». (*L'Événement du Jeudi*, 9-15 janvier 1986.)

Les suppressions, les ajouts, les substitutions auxquels se livre Tournier, comme les caractéristiques stylistiques de cette récriture, doivent nous renseigner sur sa signification.

Suppressions.

L'annonce chiffrée des événements par les cartes du tarot disparaît ainsi que le log-book : *Vendredi ou la Vie sauvage* est écrit entièrement à la troisième personne. La première partie, surtout avant l'arrivée de Vendredi, souffre de cette réduction. Vendredi intervient en effet plus tôt dans le récit (p. 62 sur 151 pages au lieu de p. 142 sur 245 pages). La réflexion philosophique est donc supprimée au bénéfice de l'action. Disparaissent également les citations de la Bible, ainsi que l'épisode des mandragores, de Quillai, de la combe rose.

Certains, comme Pierre Gripari, voient un appauvrissement dans ces suppressions. Michel Tournier rétorque que la sexualité n'a pas disparu mais évolué dans *Vendredi ou la Vie sauvage*. « La sexualité diffuse de ce roman ne saurait relever de la sexualité génitale [1]. » Par ailleurs, Anda n'a-t-elle pas, avec Vendredi, les rapports les plus tendres ? Le meurtre du bouc Andoar ne s'explique que par là. C'est une histoire d'amour. Quant à la philosophie, elle est présente mais cachée. Selon Tournier, c'est une erreur de l'étaler comme dans *Vendredi ou les Limbes du Pacifique*.

Ajouts.

Des épisodes nouveaux apparaissent dans la deuxième partie de *Vendredi ou la Vie sauvage*. Ils développent les inventions de Vendredi : inventions culinaires : la cuisson

1. « Écrire pour les enfants ». *La Quinzaine littéraire,* 16-31 décembre 1971.

à l'argile, la broche à œuf (*V.V.S.*, p. 95-97), jeux poétiques (*V.V.S.*, p. 108-110), usage de la poudre pour transformer les arbres morts en grands candélabres de feu (*V.V.S.*, p. 107). L'épisode des perroquets met en valeur la vertu du silence et la sagesse de Vendredi (*V.V.S.*, p. 112-114). « Vingt-cinq pour cent du texte de la *Vie sauvage* est inédit et se veut provocation à des jeux [...] fondamentaux. On invente le théâtre. On invente la poésie. On invente le silence et le langage avec les mains [1]. »

Deux ajouts ont finalement été intégrés à l'édition folio de *Vendredi ou les Limbes du Pacifique*, en 1972. Il s'agit de l'épisode du petit vautour que Vendredi nourrit d'asticots mâchés (*V.V.S.*, p. 76 →*V.*, p. 172-173), et de la querelle entre Robinson et Vendredi après la confection par Vendredi d'un plat de rondelles de serpent (*V.V.S.*, p. 98-100 → *V.*, p. 209-210-211) [2].

Substitutions.

Même lorsque les épisodes sont identiques, la disposition en chapitres courts de deux ou trois pages donne plus de relief aux actes de Vendredi : « La *Vie sauvage* représente à peu près le quart des *Limbes du Pacifique*, ce qui signifie que chaque détail, chaque événement acquièrent quatre fois plus d'importance [3] », affirme Michel Tournier.

Parfois les événements sont totalement modifiés. Ainsi Andoar est combattu et tué par Vendredi parce qu'il veut lui ravir Anda. L'aspect symbolique d'Andoar, double tellurique de Robinson, et tué comme tel, disparaît. Le cerf-volant formé de la peau du bouc a ici un but ludique

1. *Ibid.*

2. Confronter avec l'édition de 1967 de *Vendredi ou les Limbes du Pacifique* où ces deux passages sont absents.

3. « Écrire pour les enfants », art. cité.

et pratique : la pêche au cerf-volant (pratiquée encore dans les îles de l'archipel Salomon) (*V.V.S.*, p. 132).

De même l'aspect symbolique de Jeudi, « l'enfant d'or », lié à l'astre solaire et à Jupiter, le dieu du ciel, disparaît : son nom Dimanche l'associe simplement au jour de repos.

Le caractère de Robinson change, ce qui apparaît avec éclat à l'arrivée de Vendredi. Nous appellerons, pour les distinguer Robinson I celui de Defoe, Robinson II celui de *Vendredi ou les Limbes du Pacifique*, Robinson III celui de *Vendredi ou la Vie sauvage*.

Robinson III n'envisage pas un instant de tuer Vendredi ; il va de soi qu'il doit protéger la victime. Robinson II, au contraire, « ne songe qu'à sa propre sécurité et cherche à satisfaire les poursuivants pour les écarter de son domaine [1] ». C'est par hasard qu'il sauve Vendredi qui est un intrus dont la présence l'importune. Selon Genette, une censure morale amène Tournier à effacer « l'intention égoïste de Robinson [2] » II. C'est peut-être aussi le jeu des inversions auquel il se livre. Mais Robinson III ne rejoint pas pour autant Robinson I de Defoe qui agissait, lui, par intérêt, pour s'acquérir un serviteur et non sous le coup d'une impulsion généreuse. Robinson III pense et agit en même temps. Il est tout entier à l'instant présent, il devient un être primaire au sens où le définit Tournier dans *Le Magazine littéraire* [3] de janvier 1986, un homme du présent. Tournier avoue qu'il admire les primaires qu'il a tendance à survaloriser par rapport aux secondaires, les hommes de la recherche intérieure.

1. G. Genette, *Palimpsestes,* p. 425 (voir dossier n° 21)

2. *Ibid.,* p. 425.

3. « Tournier face aux lycéens », *Le Magazine littéraire*, janvier 1986, p. 23.

Les deux versions de Tournier sont deux versions déviées de la version initiale de Defoe. C'est l'image proche du dérapage qu'emploie Lévi-Strauss lorsqu'il évoque les séries de variantes que constitue un mythe. Il observe que « la série ordonnée des variantes ne revient pas au terme initial après avoir parcouru le premier cycle de quatre [1] ».

1. C. Lévi-Strauss, *L'homme nu*, p. 581.

Le style du conte.

Si l'on compare maintenant le style des passages où apparaît Vendredi dans les deux versions, on constate dans le second une simplification du vocabulaire, plus courant, plus moderne aussi. Bien que datée, l'aventure y est actuelle, comme dans le mythe. La simplification existe aussi sur le plan syntaxique : la juxtaposition remplace la subordination, un adjectif remplace une relative. Le style est plus dépouillé. Pourtant des phrases explicatives sont ajoutées comme : « dans un groupe d'hommes celui qui ne ressemble pas aux autres est toujours détesté » (*V.V.S.*, p. 62), ce qui souligne l'aspect plus didactique de *Vendredi ou la Vie sauvage*.

Les comparaisons sont supprimées en même temps que le style se fait plus affirmatif, les effets dramatiques ou de contraste plus appuyés. L'action est privilégiée au détriment de la description, de l'expression des sentiments ou de l'analyse des motivations intérieures.

Bien que Tournier se défende d'écrire pour les enfants, ces techniques rendent le livre plus accessible à un jeune public. Pour atteindre un lecteur enfant, Tournier trouve un style plus « primitif », ou plus

« primaire » au sens déjà défini, s'attachant à l'action, au présent, au concret par opposition à la pensée, au passé, à l'abstrait, à tout ce qui implique un recul. En repoussant le réalisme temporel, Tournier promeut son récit au rang de conte. Il se rapproche ainsi de la tradition orale. Ce n'est pas un hasard si *Vendredi ou la Vie sauvage* est enregistré sur cassette, et pas *Vendredi ou les Limbes du Pacifique*.

Vendredi ou la Vie sauvage est la version quintessenciée de *Vendredi ou les Limbes du Pacifique*. Ce livre souligne l'évolution de l'écriture de Michel Tournier qui se rapproche de la littérature orale et retrouve la jeunesse du conte.

1. M. Tournier, *Le Coq de Bruyère*, p. 21 à 29.

2. Saint-John Perse, *Éloges*, p. 58-70.

E) « LA FIN DE ROBINSON CRUSOÉ [1] », UNE VARIANTE INSPIRÉE PAR « IMAGES À CRUSOÉ [2] » DE SAINT-JOHN PERSE

En 1978, dans *Le Coq de bruyère*, Michel Tournier donne une variante réaliste et cruelle à la fin glorieuse qu'il imaginait pour Robinson dans *Vendredi ou les Limbes du Pacifique*, comme dans *Vendredi ou la Vie sauvage*. Robinson a choisi de revenir en Angleterre mais la nostalgie le ronge et finit par le détruire.

Cette variante est donc une version inversée du premier dénouement : Robinson est aussi avili qu'il était glorifié. Elle justifie a posteriori le choix de Robinson de rester sur son île en montrant le sort qui l'attendait s'il était revenu. Elle est aussi éloignée que la première version de la fin « moyenne » imaginée par Defoe dont le héros retrouvait une vie normale comme si ces vingt-huit ans de solitude ne l'avaient pas transformé.

Cette récriture semble influencée par le texte de Saint-John Perse : « Images à Crusoé », écrit en 1904 au retour de son île natale, la Guadeloupe, et que Michel Tournier a lu [1]. Pour exprimer sa nostalgie des îles de son enfance, Saint-John Perse adolescent s'identifiait à Robinson, un Robinson qu'il imaginait revenu en Angleterre où il se sentait exilé, loin de son île [2].

Le poème « Vendredi » illustre le mythe du bon sauvage que la société a corrompu. Fortement structuré en deux parties qui s'opposent comme le passé et le présent, le bonheur et le malheur, il s'ouvre sur le rire de l'innocence : « Rire dans du soleil/Ivoire ! » et se clôt sur « le rire, vicieux » du laquais aux « yeux fourbes ». La nudité noble du sauvage qui remue « sous la lumière le ruissellement bleu de [ses] membres » s'oppose à la « défroque rouge » du valet qu'il est devenu. Le respect religieux fait place aux vices : « Tu bois l'huile des lampes et voles au garde manger ; tu convoites les jupes de la cuisinière qui est grasse et qui sent le poisson. »

Le Vendredi de « la fin de Robinson » est le frère du Vendredi de Saint-John Perse. Revenu avec son maître mais rongé par la nostalgie, il se met à boire, séduit et rend mères deux filles de l'hospice du Saint-Esprit, puis il vole une somme importante avant de disparaître [3].

Michel Tournier prolonge les données nouvelles fournies par Saint-John Perse. Robinson devine que Vendredi a voulu rejoindre son île, et s'embarque à son tour à sa recherche : « Cette île après tout, c'était

1. *Le Magazine littéraire*, n° 226, janvier 1986

2. Voir dossier n° 5.

3. Voir dossier n° 11.

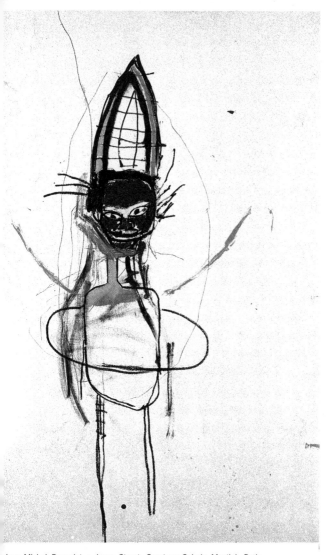

Jean-Michel Basquiat : *Jump Street*. Courtesy Galerie Mostini, Paris.
Ph. Laurent Sully Jaulmes.

« Mais si la bonne volonté de Vendredi est totale, il est encore très jeune, et sa
jeunesse fuse parfois malgré lui. Alors il rit, il éclate d'un rire redoutable, un rire
qui démasque et confond le sérieux menteur dont se parent le gouverneur et
son île administrée. »

sa jeunesse, sa belle aventure [...] Qu'attendait-il sous ce ciel pluvieux, dans cette ville gluante ? » La ville polluée, morose, ignoble (les suppositions abjectes sur les liens qui unissent Robinson et Vendredi sont suggérées), s'oppose, comme dans le poème de Saint-John Perse, à la joie de l'île livrée aux éléments : « Joie ! ô joie déliée dans les hauteurs du ciel [1]. »

Mais Robinson ne retrouve pas son île. C'est un « homme vieilli, brisé, à demi noyé dans l'alcool » qui revient. « Tu n'as pas reconnu ton île mais ton île, dis-moi si elle t'a reconnu [2] ? » lui demande-t-on pour se moquer de sa déchéance. Au-delà de la dérision, ces paroles suggèrent, outre la personnification de l'île déesse, combien le réel dépend de notre perception et donc de notre qualité d'être. L'« autre » île ne peut être perçue que par un « autre » Robinson, le Robinson purifié, élémentaire de *Vendredi ou les Limbes du Pacifique*. Autant que sa jeunesse, l'île a disparu.

1. Saint-John Perse, *Éloges*, p. 63.

2. *Le Coq de Bruyère*, p. 24.

IV LE ROMAN D'UNE MÉTAMORPHOSE

A. UN ROMAN INITIATIQUE

Dans *Rites, roman, initiation,* Simone Vierne salue le livre de Michel Tournier comme la première œuvre majeure d'une nouvelle littérature où « les

1. S. Vierne, *Rites, roman, initiation,* p. 120.

images archétypales de l'initiation s'épanouissent librement [1] ».

Les œuvres de Michel Tournier qui racontent les épreuves d'un héros en quête d'immortalité renouent en effet avec une longue tradition mythique où le héros plonge dans les ténèbres de la mort pour en surgir autre, égal aux dieux.

Michel Tournier reconnaît l'importance de l'initiation dans son œuvre : « C'est à coup sûr le thème littéraire dont l'apparition dans une œuvre mobilise mon attention et ma sensibilité avec le plus d'urgence » (*V.P.*, p. 49).

On retrouve dans *Vendredi ou les Limbes du Pacifique* « cette structure de l'initiation qui survit dans la littérature en tant que structure d'un univers imaginaire [2] », selon la formule de Mircea Eliade.

2. M. Eliade, *La Nostalgie des origines,* p. 129.

Les trois étapes du voyage initiatique.

Le déroulement de toute initiation comporte trois phases :

La préparation met le novice en état d'accueillir les révélations sacrées : la retraite solitaire accompagnée de rituels de purification par le jeûne, l'abstinence et la nudité établissent une rupture avec le monde profane.

Vient alors le voyage dans l'au-delà qui est l'entrée dans le domaine de la mort. La mort initiatique est vécue tantôt comme un retour à la vie embryonnaire, proche du néant mais pleine de promesses de vie nouvelle, ce qui implique l'abolition du temps, le retour aux origines, tantôt comme une terrifiante descente aux enfers ou dans le ventre d'un monstre, accompagnée de grandes souffrances. La mise en pièces du corps y figure alors la désintégration de la personnalité.

L'ascension au ciel, thème inverse de l'engloutissement dans le ventre maternel ou de la descente aux enfers, peut également montrer que celui qui a subi cette épreuve a transcendé la condition humaine.

La troisième étape est la renaissance car l'initié est celui qui est né deux fois. La véritable naissance est d'ordre spirituel. Ayant affronté les épreuves réservées aux morts, il ne craint plus la mort. La montée au ciel lui permet d'obtenir des connaissances secrètes.

L'initiation est donc l'accession à un mode d'être supérieur pour lequel, l'étymologie latine le rappelle, le retour à l'origine du monde est nécessaire. Le mot grec pour initiation insiste au contraire sur l'idée d'achèvement : $\tau\epsilon\lambda\epsilon\tilde{\iota}\nu$ signifie rendre parfait, $\tau\epsilon\lambda\epsilon\upsilon\tau\tilde{\alpha}\nu$, mourir, car l'initié doit mourir pour renaître transfiguré.

Vendredi ou les Limbes du Pacifique n'est pas un roman réaliste évoquant les épreuves liées à la survie d'un naufragé. Entre le Robinson pieux, avare et pur décrit par le capitaine van Deyssel au début du récit et « le zénith de la perfection humaine » à laquelle il est appelé à la fin, s'inscrit toute une série d'épreuves. La réalisation d'un tel programme implique une véritable métamorphose. La mort à l'ancien moi, rendue possible par le naufrage et l'action décapante de la solitude, va permettre l'élaboration d'un homme nouveau, surhumain, sous la conduite de l'initiateur Vendredi.

Première initiation : période aquatique.

Le naufrage par lequel commence le récit établit la rupture nécessaire avec le monde : « Nu, dépossédé de son existence antérieure et par suite lavé de tout péché (son naufrage ayant évidemment valeur de baptême) il est dans la situation la plus proche de l'état adamique parfait [1] », écrit Marthe Robert de Robinson I. L'île impose la solitude et l'abstinence rituelles.

Ayant échappé à cette première épreuve de la mort, Robinson échappe encore au désespoir engendré par la solitude qui le conduit à chercher l'oubli dans la souille.

C'est un voyage dans la mort assimilée à une régression au stade embryonnaire que connaît Robinson dans « l'enveloppement humide et chaud » (*V.*, p. 38) de la vase, assimilable à un liquide amniotique et à la chair maternelle. Mais l'image est ambivalente : Robinson, « libéré de toutes ses attaches terrestres », attend la mort, enlisé dans cette substance ténébreuse. « Il y a comme une fascination tactile du visqueux [2] », écrit Bachelard dans un chapitre au titre significatif : « La valorisation de la boue ». Les vapeurs méphitiques qui s'exhalent du marécage sont assimilables à la drogue dans laquelle l'homme fuit son malheur. Une hallucination où il croit revoir sa sœur morte adolescente fait sortir Robinson de cette prostration morbide pour se jeter à la mer où il est sur le point de se noyer. Rejeté, évanoui sur la grève, il prend conscience de la folie qui le menace. Robinson accepte alors sa condition ; il se livre à l'élevage, établit des lois. Cette première initiation ressemble aux

1. M. Robert, *Roman des origines et origines du roman*, p. 137.

2. G. Bachelard, *La Terre et les rêveries de la volonté*, p. 116

initiations de puberté qui, par la reconnaissance d'un ordre social, font passer à l'âge
adulte.

Le sens spirituel de son aventure apparaît peu à peu à Robinson. « Je suis entré
en solitude comme on entre tout naturellement en religion » (*V*., p. 84). Un moment
d'extase lui fait entrevoir une « autre » île
que seul un nouveau Robinson pourrait
percevoir. Il attend l'illumination où l'Esprit saint, tel une langue de feu, descen-
drait sur lui (*V*., p. 74).

Seconde initiation : période tellurique.

Commence alors une seconde initiation :
c'est la période tellurique après la période
aquatique. La descente dans la grotte est
assimilable à la descente dans le ventre du
monstre engloutisseur. Le danger est
souligné :

« La grotte ouvrait sa gueule noire » (*V*.,
p. 104). Mais le tunnel où il glisse comme
« le bol alimentaire dans l'œsophage » est
aussi un vagin : Robinson trouve la place
de son corps, en position fœtale, dans le
creux de la roche. Le voyage dans le ventre
de l'île est vécu comme une nouvelle
régression au stade embryonnaire. Le
sommeil, la suspension du temps, le
sentiment d'inexistence suggèrent le
voyage dans l'au-delà : l'île « réunit
miraculeusement la paix des douces ténèbres matricielles et la paix sépulcrale, l'en
deçà et l'au-delà de la vie » (*V*., p. 112)

Le caractère religieux de l'épreuve est
souligné par « le jeûne purificateur » auquel
se soumet Robinson « pénétré de la gravité
solennelle de son entreprise » (*V*., p. 105)
La métamorphose de Robinson est suggé-

Soleil, délivre-moi de la
gravité. Lave mon sang de ces
humeurs épaisses qui me pro-
tègent certes de la prodigalité
et de l'imprévoyance, mais qui
brisent l'élan de ma jeunesse
et éteignent ma joie de vivre
quand j'envisage au miroir
ma face pesante et triste d'hyperboréen, je comprends que les
deux sens du mot grâce —
celui qui s'applique au danseur
et celui qui concerne le saint —
puissent se rejoindre sous un
certain ciel du Pacifique.
Enseigne-moi l'ironie. Apprends-
moi la légèreté, l'acceptation
riante des dons immédiats de
ce jour, sans calcul, sans
gratitude, sans peur.
Soleil, rends-moi semblable
à Vendredi. Donne-moi le
visage de Vendredi, épanoui
par le rire, taillé tout entier
pour le rire. Ce front très haut
et couronné d'une guirlande
de boucles noires. Cet œil

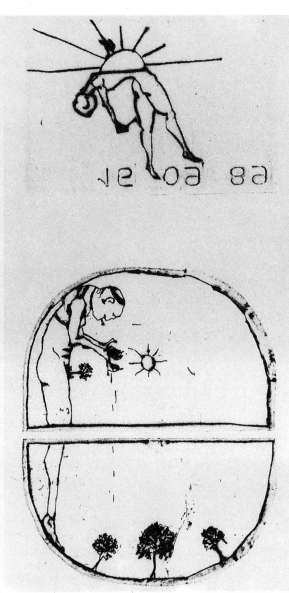

Philippe Favier : *Mémoire d'un clou de girofle.* Musée de Gravelines. Catalogue de Madame D. Tonneau-Ryckelynck. Ph. du Musée © A.D.A.G.P., 1991.
« *Log-book.* – Soleil, délivre-moi de la gravité. »

rée par l'inversion des couleurs : il flotte maintenant dans des « ténèbres blanches » dont le glaive de feu qui perce Speranza ne peut qu'un instant altérer la blancheur neigeuse. L'illumination est cet « au-delà de la lumière et de l'obscurité dans lequel il pressentait le premier seuil de l'au-delà absolu » (*V.*, p. 104).

Régénéré par cette gestation dans la Grande Mère, Robinson renaît. Comme spiritualisé par le jeûne, il se hisse sans peine « par la cheminée où il flotta comme un ludion » (*V.*, p. 109). Comme l'enfant qui vient de naître, il est « nu et blanc », il vagit de reconnaissance, il suce « activement le liquide vital » (*V.*, p. 113).

Ce nouveau Robinson, de plus en plus déshumanisé, sent en lui « un cosmos en gestation » (*V.*, p. 117). Il se demande où va le conduire « cette création continuée » (*V.*, p. 118) de lui-même.

Troisième initiation : période éolienne.

Ayant surmonté les préceptes de sa religion qui le séparent de la nature, il lui faut encore surmonter ses préjugés racistes qui lui montrent en Vendredi un être inférieur. Il appartient en effet à Vendredi, car l'initiation complète exige un maître, de libérer Robinson de « ses racines terriennes » et de le faire passer par la phase éolienne.

La chute du grand cèdre après l'explosion symbolise la séparation de Robinson et de l'élément tellurique. « Ce nouveau coup à la terre de Speranza achevait de rompre les derniers liens qui attachaient Robinson à son ancien fondement. Il flottait désormais » (*V.*, p. 190). L'émergence de la racine exprime symboliquement l'éveil de Robinson à de nouvelles valeurs.

À l'image de l'Araucan, être éolien, Robinson grimpe aux araucarias pour jouir chaque matin de la caresse du soleil. Mircea Eliade écrit que l'escalade des arbres est rituelle chez les Amérindiens dans les cérémonies chamaniques de guérison. À l'occasion de la fête du Soleil, les Araucans dressent un poteau, l'escaladent et prient le Soleil pour recevoir visions et prophéties [1]. L'image de la spirale, de la vis, du « fouillis de branches » qui « s'enfonçait en tournant » (V., p. 203) souligne le péril de cette vertigineuse ascension.

La chrysalide devenue papillon symbolise la conversion éolienne de Robinson : « Il y avait la terre et l'air, et entre les deux, collé à la pierre comme un papillon tremblant, Robinson qui luttait douloureusement pour opérer sa conversion de l'une à l'autre » (V., p. 199).

Quatrième initiation : période solaire.

L'assomption solaire de Robinson liée à la mort de son ancien moi est préparée par celle du bouc sacrifié devenu grand oiseau d'or.

Reste en effet à traverser l'épreuve du feu, le quatrième élément qui achèvera sa purification. Car l'ignition est initiatrice. L'épreuve du feu rend immortel. Héraclès dans la légende grecque sort transfiguré du bûcher. L'auteur donne toute sa valeur symbolique à la rousseur de Robinson : « Ma chevelure tord ses boucles ardentes comme un brasier dressé vers le ciel » (V., p. 218). « Je suis [...] comme une épée trempée dans ta flamme » (V., p. 218), dit

1. M. Eliade, *Initiations, rites et sociétés secrètes,* p. 166.

Robinson qui s'expose nu aux rayons du soleil. La peau de Robinson marquée du signe de l'incandescence ne révèle-t-elle pas le passage victorieux à travers l'épreuve du feu ?

Le supplice de saint Sébastien, suivi de son assomption, exprime de façon métaphorique, le pouvoir que confère le passage à travers l'élément igné : « Une volée de flèches brûlantes ont percé ma face, ma poitrine et mes mains, et la pompe grandiose de mon sacre s'est achevée tandis que mille diadèmes et mille sceptres de lumière couvraient ma statue surhumaine » (*V.*, p. 216).

Quatre fois Robinson a failli mourir et a connu la renaissance de l'initié. Les quatre éléments dominent les différentes phases de la purification. Robinson va atteindre la sagesse suprême. Mais une dernière épreuve vient tout compromettre. C'est l'arrivée du *Whitebird*. Sans hésiter Robinson choisit de rester sur l'île. Mais le départ de Vendredi le plonge dans un désespoir dont seul le sauve l'arrivée providentielle de Jeudi.

Entre la solitude absolue du stylite qui se fond dans les météores et le retour parmi les hommes que son pessimisme lui fait estimer vain, Michel Tournier choisit une voie intermédiaire. Une présence humaine reste indispensable à Robinson malgré sa déshumanisation.

La connaissance qui est co-naissance au sacré sera transmise, mais loin du monde, par la chaîne des initiés :

« Ce pessimisme est courant, écrit Simone Vierne, lorsque des auteurs modernes rêvent les images initiatiques primitives dont ils sentent à la fois le déchirant désir et la cruelle impossibilité dans notre monde désacralisé [1] ».

1. S. Vierne, *Rites, roman, initiation,* p. 123.

Le succès du livre de Michel Tournier montre pourtant la nostalgie d'un renouveau initiatique chez l'homme moderne areligieux et le désir de retrouver, par le biais de la littérature, la preuve que l'homme peut dépasser sa condition.

B. UN ROMAN ALCHIMIQUE

Mircea Eliade, dans *Forgerons et Alchimistes*, insiste sur la loi de l'analogie entre monde humain et monde minéral qui caractérise la pensée hermétiste : « Grâce à l'homologie microcosme-macrocosme, les deux niveaux – minéral et humain – se correspondent [2] ».

2. M. Eliade, *Forgerons et Alchimistes,* p. 104.

Cette analogie permet de suggérer derrière la métamorphose spirituelle de Robinson, liée aux quatre éléments, le schéma de la transmutation alchimique des métaux.

Michel Tournier nous incite à faire une lecture alchimique de *Vendredi ou les Limbes du Pacifique* lorsque, dans la revue *Silex* (n° 14) de 1979, il compare l'île déserte à un laboratoire expérimental. Comme un chimiste isole un corps dans une cornue, l'écrivain isole Robinson dans son île pour le soumettre à l'épreuve décapante de la solitude.

Dès l'ouverture du livre, le capitaine van Deyssel place l'aventure de Robinson sous le signe du serpent Ouroboros hermaphrodite, symbole pictural le plus ancien de l'alchimie, cet art de la transmutation des métaux vils en or. Mais l'or est un symbole de perfection correspondant, au niveau minéral, de la perfection divine. C'est aussi un symbole d'immortalité. La transmutation alchimique porte donc aussi et surtout sur l'individualité humaine.

« Dans la Cité solaire [...] les habitants sont revêtus d'innocence enfantine, ayant accédé à la sexualité solaire qui, plus encore qu'androgynique, est circulaire. Un serpent se mordant la queue est la figure de cette érotique chose sur elle même, sans perte ni bavure. C'est le zénith de la perfection humaine, infiniment difficile à conquérir » (*V.*, p. 12).

D'origine probablement gnostique, ce symbole est souvent réduit à une simple figure circulaire O qui exprime l'idée d'infini, d'éternité, de perfection.

Dans *Psychologie et Alchimie*, Jung explique que le travail des alchimistes « avec la matière représentait certes un effort sérieux pour pénétrer la nature des transformations chimiques ; mais en même temps, il était aussi – et dans une proportion souvent dominante – la reproduction d'un processus *psychique*, se déroulant parallèlement et qui pouvait être [...] facilement projeté dans la chimie inconnue de la matière [1] ».

À travers diverses opérations sur la matière, l'alchimie a pour fin le salut de l'âme :

« Dans une perspective chrétienne, on pourrait dire que les alchimistes s'efforçaient de "délivrer" la Nature des conséquences de la chute ; finalement de la "sauver". Pour cette entreprise ambitieuse de sotériologie [2] cosmique, les alchimistes ont utilisé le scénario classique de toute initiation traditionnelle "mort" et

1. C. Jung, *Psychologie et Alchimie*, p. 51.

2. Doctrine du salut par un rédempteur.

1. M. Eliade, *Initiation, rites et sociétés secrètes*, p. 263.

"résurrection" des substances minérales afin de les régénérer [1] », écrit Mircea Eliade.

Les trois phases du Grand Œuvre alchimique.

Le processus de transformation alchimique comporte trois phases caractérisées par leur couleur et que l'on retrouve dans *Vendredi ou les Limbes du Pacifique*. Il s'agit de l'œuvre au noir appelée « nigredo », de l'œuvre au blanc appelée « albedo » et de l'œuvre au rouge appelée « rubedo ».

« La phase appelée "nigredo" (noir) correspond à la "mort" des substances minérales, à leur *dissolutio* ou *putrefactio*, en somme à leur réduction à la prima materia [2] », explique Mircea Eliade. Cette réduction à la *prima materia* correspond à la régression au stade embryonnaire. La grotte joue le rôle du vase alchimique ; Robinson, « immobile très longtemps dans le noir » (*V*., p. 103) y atteint l'état d'inexistence comparable à la dissolution de son ancien moi.

2. *Ibid.*, p. 262.

Le texte indique, en italique, « l'obscurité *tenait* toujours » (*V*., p. 104) puis « tout à coup *l'obscurité changea de signe*. [...] Désormais c'était dans des ténèbres blanches qu'il flottait, comme un caillot de crème dans un bol de lait » (*V*., p. 107). À l'œuvre au noir succède ici l'œuvre au blanc. C'est la phase de purification, de renaissance. Le texte évoque « cette nuit lactée » (*V*., p. 109) associée à l'idée d'une maternité de Speranza enceinte de Robinson.

Le mystère de cette transmutation est souligné : la « vague d'encre qui avait déferlé » dans la grotte quand le glaive de fer la pénètre un instant reflue presque instantanément laissant place à « la pureté neigeuse » (*V.*, p. 109).

La dernière page du livre baigne dans cette couleur rouge assimilée par l'alchimie à la conquête de la perfection. L'œuvre au rouge est liée au lever du soleil : « La lumière *fauve* le revêtait d'une armure de jeunesse inaltérable et lui forgeait un masque de *cuivre* [...] où étincelaient des yeux de diamant » (*V.*, p. 254). Le diamant par sa dureté, sa transparence et ses feux, est aussi un excellent symbole de la pierre philosophale, affirme Jung dans *Psychologie et Alchimie* [1].

L'or et le soleil.

La culmination du grand œuvre se fait sous le signe du soleil. « Le soleil a peu à peu imprimé son image dans la terre. C'est l'or [2] », écrit Jung. Les cheveux rouges de Robinson et de Jeudi sont le signe de leur élection solaire. L'harmonie entre le soleil et l'initié est symbolique : « L'astre dieu déploya tout entière sa couronne de cheveux rouges [...] Des reflets métalliques s'allumèrent sur la tête de l'enfant » (*V.*, p. 254). La dernière page de *Vendredi* nous fait assister avec le lever du soleil à une véritable héliophanie, cette « attente mystique à laquelle participaient les animaux, les plantes et même les pierres » (*V.*, p. 215). Le mot héliophanie a été créé par Michel Tournier pour désigner « le lever de soleil considéré comme une divinité [3] ».

La chrysalide cachée dans les ténèbres souterraines et devenue phalène « aux ailes miroitantes de poussière d'or »

1. C. Jung, *Psychologie et Alchimie*, p. 540.

2. *Ibid.*, p. 437.

3. M. Tournier, « Les mots sous les mots », *Le Débat* nº 33, 1985.

symbolise l'assomption solaire de Robinson transformé en « être de soleil, dur et inaltérable » (*V.*, p. 226).

L'enfant divin.

Le récipient alchimique est souvent assimilé à l'utérus et le fruit du Grand Œuvre, la pierre philosophale, à l'embryon d'or, au « fils des philosophes [1] ». Jeudi n'est-il pas cet enfant divin que couronnent les rayons du soleil ?

Les cartes du tarot annonçaient « un enfant d'or, issu des entrailles de la terre – comme une pépite arrachée à la mine » (*V.*, p. 13). Il sort en effet de la grotte comme un enfant naît. « Quelques contorsions le libérèrent de l'étroit orifice » (*V.*, p. 252). Michel Tournier reprend l'expression « l'enfant d'or » des alchimistes pour souligner la perfection de l'enfant divin, couronné de lumière, qui participe à l'indestructibilité du métal. Une phrase insiste encore sur son caractère surnaturel et salvateur : « Ses omoplates saillaient comme des ailes d'angelot » (*V.*, p. 242).

Se débarrassant de ses scories qui sont comme le plomb, le métal impur, Robinson fabrique donc l'or, image métallurgique de l'être parfait, de lumière qui retrouve son état originel.

Vendredi ou les Limbes du Pacifique renvoie en filigrane à toute une tradition de l'alchimie mystique, elle-même nourrie de la tradition hermétique fondée sur la correspondance macrocosme-microcosme. Son ambition n'est rien moins que de combattre les effets de la chute et de faire réintégrer à l'homme une dimension divine.

1. C. Jung, *Psychologie et Alchimie*, p. 310.

C. LE RETOUR DE DIONYSOS

Italo Calvino écrivait dans un article intitulé « Philosophie et littérature » que la philosophie pouvait servir de stimulus à l'imagination, que Borges par exemple utilisait différentes philosophies pour nourrir des mondes imaginaires mais qu'il avait coutume de cacher ses cartes : les associations ne sont visibles qu'à travers des allusions [1]. C'est cet usage de la philosophie que nous nous proposons de mettre en évidence dans *Vendredi ou les Limbes du Pacifique* philosophie nietzschéenne dans le cas de Michel Tournier, admirateur de Nietzsche qu'il cite dans *Le Vent Paraclet* (p. 200) (voir dossier nº 17).

La quête d'un homme nouveau, parfait, rapproche *Vendredi ou les Limbes du Pacifique* de la recherche de l'homme supérieur dans *Ainsi parlait Zarathoustra* de Nietzsche.

Quelques indices permettent de justifier un tel rapprochement. Le mot surhomme est prononcé dans *Vendredi ou les Limbes du Pacifique* : « J'ai commencé par [...] devenir une manière de surhomme en construisant d'autant plus que la société ne le faisait plus pour moi » (*V.*, p. 116). Robinson est une fois comparé à Zoroastre [2] : « Ainsi Zoroastre après avoir longuement forgé son âme au soleil du désert avait plongé à nouveau dans l'impur grouillement des hommes pour leur dispenser sa sagesse » (*V.*, p. 237).

Si le Robinson de Defoe servait de fil conducteur à la récriture du mythe dans *Vendredi ou les Limbes du Pacifique*, la phase créatrice de l'aventure de Robinson,

1. I. Calvino : « Philosophy and Literature », *The Times literary supplement*, 28 sept. 1967.

2. Zoroastre, fondateur de la religion des mages persans. Zarathoustra est son nom savant. Il est censé avoir vécu avant le VIᵉ siècle avant J.-C. Nietzsche connaissait la doctrine des mages persans par toutes les allusions des Grecs. Son œuvre *Ainsi parlait Zarathoustra* s'inspire de certains traits de la vie de Zoroastre.

après l'arrivée de Vendredi, s'inspire de l'œuvre de Nietzsche.

Le dernier disciple de Dionysos.

Nous avons montré que derrière Vendredi, le sauvage couronné de fleurs et déguisé en homme-plante, se profilait Dionysos. Or Nietzsche se dit « le dernier disciple du philosophe Dionysos [1] ». *Ecce Homo* se termine par ces paroles : « M'a-t-on compris ? Dionysos contre le Crucifié [2]... » Pour Nietzsche, Dionysos représente « un oui triomphant à la vie » (*Le Crépuscule des idoles*, p. 100), « l'acquiescement à la vie », au devenir, qui inclut jusqu'à « *la volupté d'anéantir* [3] ». Nietzsche oppose ces valeurs à « la haine mortelle contre la vie », à « l'inversion de toutes les valeurs en valeurs hostiles à la vie [4] » qu'il dénonce dans le christianisme.

Le renversement des valeurs sur l'île, à partir de l'arrivée de Vendredi, reproduit « l'Inversion de toutes les valeurs » (expression mise solennellement en tête du livre : *Le Crépuscule des idoles*). L'initiation de Robinson va correspondre en effet à son détachement de la Bible et des valeurs chrétiennes.

Avant même l'arrivée de Vendredi, c'est sa solitude sur l'île qui oblige Robinson à repenser sa morale : « Ainsi le vice et la vertu. » Mon éducation m'avait montré dans le vice un excès, une opulence, une débauche, un débordement ostentatoire auxquels la vertu opposait l'humilité, l'effacement, l'abnégation (*V.*, p. 50-51). Sa situation sur l'île l'oblige à appeler désormais vertu l'affirmation de soi et vice le renoncement. C'est là abandonner la

1. *Crépuscule des idoles*, p. 102.

2. *Ecce Homo*, p. 195.

3. *Crépuscule des idoles*, p. 101.

4. *Ecce Homo*, p. 194.

vertu chrétienne au bénéfice de la *virtus* antique et reprendre une distinction chère à Nietzsche dans *L'Antéchrist* :

« Qu'est-ce qui est bon ? Tout ce qui *exalte* en l'homme le sentiment de puissance, la volonté de puissance [...].

Qu'est-ce qui est mauvais ? Tout ce qui vient de la faiblesse.

Qu'est-ce que le bonheur ? [...] Non la vertu mais la valeur (vertu dans le sens de la Renaissance, *virtu*) [1]. »

1. *L'Antéchrist*, p. 16, sera abrégé *A.*

La critique du christianisme par Robinson rejoint celle de Nietzsche. « Le fond d'un certain christianisme est le refus radical de la nature et des choses », dit Robinson (*V.*, p. 51). Or Nietzsche dénonce dans le christianisme « le dénigrement, la négation de la vie, le mépris du corps, l'abaissement et l'auto-avilissement de l'homme par l'idée du péché » (*A.*, p. 77). Avec Vendredi s'exprime au contraire par la danse et le rire le « triomphant sentiment d'être bien dans son être et dans la vie » (*A.*, p. 77).

Lorsque Robinson s'interroge sur le sens de l'intervention de Vendredi dans son histoire, il découvre que Vendredi signifie le jour de Vénus. « Pour les chrétiens, c'est le jour de la mort du Christ. Naissance de Vénus, mort du Christ. Je ne peux m'empêcher de pressentir dans cette rencontre [...] une portée qui me dépasse et qui effraie ce qui demeure en moi du dévot puritain que je fus » (*V.*, p. 228).

Dionysos contre le Christ.

Comme Nietzsche oppose Dionysos au Christ, Tournier oppose Vénus au Christ. C'est, dans les deux cas, le retour au

141

paganisme. « Sont païens, dit Nietzsche, tous [...] ceux pour qui "Dieu" est le mot qui exprime le grand "oui" à toutes choses » (*A.*, p. 76).

Robinson, le quaker, opère donc une conversion à rebours. Sa prière au Soleil : « Délivre-moi de la gravité » est calquée sur celle du chrétien : « délivre-moi du mal ». Mais c'est pour appeler sur lui la « grâce » de la joie, expression de l'harmonie avec le monde. Robinson « l'hyperboréen » (*V.*, p. 217) – encore un terme repris à Nietzsche au début de *L'Antéchrist* : « Nous sommes des Hyperboréens » (*A.*, p. 15) – souffre de tristesse. Sa gravité, au double sens de sérieux et de lourdeur, doit être convertie en légèreté, ici connotée positivement : c'est « l'acceptation riante des dons immédiats de ce jour, sans calcul, sans gratitude, sans peur » (*V.*, p. 217). Acquiescer à la vie est la formule que Nietzsche ne cesse de répéter : « dans le symbole dionysien, c'est la limite extrême de l'acquiescement qui est atteinte [1] ».

Nietzsche s'en prend à « l'esprit de lourdeur » ; Robinson veut se débarrasser de la « gravité ». C'est une « vertu de danseur » que cherche Zarathoustra. C'est la « grâce » aux deux sens du terme – « celui qui s'applique au danseur et celui qui concerne le saint » (*V.*, p. 217) – que cherche Robinson. La prière de Robinson au soleil rappelle le vœu du Zarathoustra de Nietzsche : « Que se fasse léger tout ce qui est pesant, danseur tout corps, oiseau tout esprit [2]. »

Éloge du rire et de la danse.

Dans les deux textes, le rire est associé à cette transmutation du bas en haut, du

1. *La Naissance de la Tragédie*, p. 140, sera abrégé *N.T.*

2. *Ainsi parlait Zarathoustra* sera abrégé *Za.*

lourd en léger, « car dans le rire ensemble se mélange tout mal mais par sa propre béatitude absous et sanctifié [1] » (*Za.*, p. 284). C'est par le rire que Nietzsche tue l'esprit de lourdeur. Quant à Vendredi, « il rit, il éclate d'un rire redoutable, un rire qui démasque et confond le sérieux menteur dont se parent le gouverneur et son île administrée » (*V.*, p. 149).

Vendredi est encore associé à l'idée de légèreté. Sa grâce est celle du danseur (*V.*, p. 217-221), c'est un être éolien. Nietzsche associe aussi le vent et la danse dans la même légèreté : « Faites comme le vent [...], sur son propre pipeau il veut danser » (*Za.*, p. 357).

Comme s'il mettait en application le conseil de Zarathoustra : « Haut les jambes aussi, ô vous qui dansez bien et, mieux encore, vous tenez debout, même sur la tête » (*Za.*, p. 355), Robinson, à l'exemple de Vendredi apprend à marcher sur les mains (*V.*, p. 192) rejoignant aussi, dans cette polyvalence de ses membres, l'idéal de l'androgyne mythique de Platon.

Il apprend à grimper et même à voler selon la doctrine de Zarathoustra : « Qui une fois veut apprendre à voler, il faut que d'abord il apprenne à [...] grimper » (*Za.*, p. 243).

Tel un « papillon tremblant », Robinson, dans l'arbre, est sensible à « l'invitation au vol d'un couple d'albatros » (*V.*, p. 199). L'éloge de Zarathoustra à la fin du livre pourrait s'appliquer au Robinson métamorphosé en jumeau de Vendredi :

« Zarathoustra le danseur, Zarathoustra le léger, qui des ailes fait signe, quelqu'un qui sait l'art de voler, qui à tous les oiseaux fait signe, prêt et dispos, béatement espiègle [...] » (*Za.*, p. 356).

Robinson-Zarathoustra.

Comme Zarathoustra seul dans sa caverne, écoutant les ruisseaux et les arbres (*Za.*, p. 34), conduit par ses animaux (*Za.*, p. 41), Robinson seul dans son île avec Tenn « a bien changé [...] enfant s'est fait [...] [il] est un homme éveillé » (*Za.*, p. 20). « Tardivement [il] devint jeune » (*Za.*, p. 187). Car « innocence est l'enfant, et un oubli et un recommencement, un jeu [...] un mouvement premier, un saint dire Oui » (*Za.*, p. 37).

Comme Zarathoustra (*Za.*, p. 19), Robinson s'adresse au soleil (*V.*, p. 217). Il découvre le secret de l'éternel retour, le temps cyclique qui est le temps des dieux. « Le mouvement circulaire est devenu si rapide qu'il ne se distingue plus de l'immobilité », constate Robinson. « Dès lors n'est-ce pas dans l'éternité que nous sommes installés, Vendredi et moi ? » (*V.*, p. 219). Il fait ainsi écho à cette phrase de Nietzsche :

« Oh ! comment de l'éternité n'aurais-je pas concupiscence, et du nuptial, anneau des anneaux, – de l'anneau du retour ? [...] *Car je t'aime, ô éternité* » (*Za.*, p. 284).

La dernière page de *Vendredi ou les Limbes du Pacifique* et la dernière page de *Ainsi parlait Zarathoustra* sont toutes deux baignées de lumière et d'éternité. Zarathoustra est « ardent et vigoureux comme un Soleil matinal » (*Za.*, p. 393) tandis que la lumière fauve revêt Robinson « d'une armure de jeunesse inaltérable ».

De Zarathoustra, il est dit : « de bronze devint sa face », de Robinson : « Sa poitrine bombait comme un bouclier d'airain » (*V.*, p. 254).

« – plaisir veut de *toutes* choses éternité, *veut profonde, profonde éternité*! » (*Za.*, p. 389), écrit Nietzsche. « L'éternité en reprenant possession de [Robinson] [...] l'emplit d'un sentiment d'assouvissement total », écrit Tournier.

Plusieurs phrases de Zarathoustra pourraient s'appliquer au Robinson de Tournier :

« J'aime ceux qui ne savent vivre qu'en déclinant car ils vont au-dessus et au-delà » (*Za.*, p. 24). L'initiation de Robinson sur son île, en le soumettant à l'épreuve de la mort, lui assure aussi la résurrection de l'initié.

Zarathoustra dit encore : « Pour pouvoir engendrer une étoile qui danse il faut en soi-même encore avoir quelque chaos » (*Za.*, p. 26), phrase citée par Michel Tournier dans *Le Vent Paraclet* (p. 200).

Le nom donné à la carte 21 du Tarot, appelée dans *Vendredi*, le Chaos, s'éclaire de ce rapprochement : ce chaos ne renvoie pas seulement à l'explosion mais au chaos intérieur lié à la destruction des valeurs anciennes avant la conversion éolienne et solaire de Robinson.

Vendredi-Dionysos.

Vendredi est « celui qui fait éclater [les] tables des valeurs, le briseur, le criminel » mais c'est aussi « le créateur » (*Za.*, p. 32). Comme Dionysos au double visage, Vendredi a un aspect barbare même s'il est atténué dans *Vendredi ou les Limbes du*

Pacifique : sa cruauté frappe Robinson lorsqu'il « fait crier une tortue » qu'il dépouille de sa carapace avant d'affirmer avec calme, en la voyant courir à la mer : « Demain les crabes l'auront mangée » (*V.*, p. 170). Robinson observe encore qu'en cas de besoin, il n'hésiterait pas à égorger Tenn pour le manger. C'est Vendredi qui fait voler en éclats tous les vestiges de la civilisation. Cette violence qu'il fait subir, il en est la première victime, comme Dionysos, car c'est sur le bateau des négriers qu'il quitte l'île d'espérance – et pour quel avenir de mort !

Mais cet aspect destructeur n'est que l'envers de son pouvoir d'initiateur à une vie supérieure : les tirs à l'arc sans gibier et sans cible où Vendredi se dépense jusqu'à épuisement (*V.*, p. 194) ne réhabilitent pas seulement la jouissance improductive. La flèche d'une longueur démesurée dont Vendredi dit, en la voyant filer vers la forêt, au lieu de retomber : « Celle-là ne retombera jamais » (*V.*, p. 194), ne reprendrait-elle pas l'image symbolique de la flèche dans le prologue de Zarathoustra ? « Arrive le temps où l'homme au-dessus de l'homme plus ne lancera la flèche » (*Za.*, p. 26), dit Zarathoustra. N'est-ce pas ce désir de dépassement, ce désir du surhomme (*Za.*, p. 94) qu'exprime la flèche de Vendredi dont l'acte ici se fait langage ?

Car « Dionysos tend à réintroduire les hommes dans le monde des dieux et à les transformer en race divine »[1]. C'est bien cette réintégration du surhumain dans l'humain que réalise Robinson sous la conduite de Vendredi.

1. J. Chevalier et A. Gheerbrant, *Dictionnaire des symboles*, p. 358.

Comme Dionysos rompt les inhibitions, les refoulements, Vendredi détruit d'abord les tabous de Robinson sur le corps, la beauté, la sensualité. Il brise toutes les barrières que l'éducation puritaine avait mises entre la nature et l'homme, et entre l'homme et l'homme. Nietzsche souligne cet aspect libérateur : « Sous le charme de Dionysos non seulement le lien d'homme à homme vient à se renouer, mais la nature aliénée – hostile ou asservie – célèbre de nouveau sa réconciliation avec son fils perdu, l'homme » (*N.T.*, p. 31). Robinson apprend à s'aimer lui-même et à aimer son corps, car « Il est plus de raison en ton corps qu'en ta meilleure sagesse » (*Za.*, p. 46).

« Plus loyalement, plus purement discourt le corps en bonne santé [...] et son discours concerne le sens de la Terre » (*Za.*, p. 44). « Contempteurs du corps ! Pour moi vous n'êtes des ponts vers le surhomme ! » (*Za.*, p. 47), dit Zarathoustra.

Sous son influence, Robinson découvre que son corps peut être l'instrument d'une fusion heureuse avec les éléments. La fusion avec le cosmos, assimilée à une fusion amoureuse, Robinson en fait l'expérience quand les rayons du soleil en le transperçant lui communiquent une énergie vitale : « Une jubilation douce [...] m'enveloppe et me transporte des pieds à la tête, aussi longtemps que le soleil-dieu me baigne de ses rayons » (*V.*, p. 229-230).

Invention de la musique, du théâtre.

Vendredi éveille Robinson aux sensations cosmiques lorsqu'il lui fait écouter le son de la harpe éolienne, cette musique dionysiaque par excellence, où se mêlent « la voix ténébreuse de la terre, l'harmonie des sphères célestes, et la plainte rauque du grand bouc sacrifié » (*V.*, p. 209). N'est-ce pas là cette « innombrable clameur de joie et de douleur qui monte de l'« immensité de la nuit des mondes » » ? (*N.T.*, p. 124) Dionysos, comme Pan, se revêtait parfois d'une peau de bouc. La plainte du grand bouc sacrifié semble le chant de douleur et de joie du cosmos divinisé.

Vendredi et Robinson perdent conscience d'eux-mêmes dans la grandeur du mystère où communient les éléments. « L'émoi dionysiaque » est lié à cette dissolution « qui délivre des chaînes de l'individuation » (*N.T.*, p. 121). En fusionnant avec l'univers, l'homme nie ses limites et a la sensation de toucher au divin.

Ce champ affectif est nécessaire, selon Nietzsche, à la naissance de l'œuvre d'art. Or Vendredi comme Dionysos invente le jeu, le théâtre, la musique, l'art.

Ainsi Vendredi commémore le passé en répétant la scène du sacrifice avec les Araucans ou celle de la pipe et de l'explosion. Il joue à être Robinson avec son ombrelle tandis que Robinson joue le rôle de Vendredi. Il redécouvre la purgation des passions lorsqu'il fait exploser sa colère, sur le mannequin qui est un double de Robinson. Il invente la musique avec la harpe éolienne. La tragédie signifie étymologiquement « le chant du bouc ». C'était à l'origine le chant dont on accompagnait rituellement le sacrifice d'un bouc aux fêtes de Dionysos.

Le retour de Dionysos.

Nietzsche appelait de ses vœux le retour de Dionysos : « Quelle soudaine transformation dans le sombre désert de notre civilisation exténuée, sitôt que la touche le charme de Dionysos » (*N.T.*, p. 120).

Le *Vendredi* de Michel Tournier, roman viscéral, hymne à la vie et à la joie, répond à cet appel. Vendredi-Dionysos milite dans ce livre pour la réhabilitation de toute une « part maudite [1] » qui a été refoulée dans notre civilisation : tout ce qui est lié à ce qui est primitif, non encore domestiqué, à un divin non encore évangélisé. Tout ce qui a été négligé ou marginalisé parce que semblant dangereux comme le jeu, le repos, le rire, l'érotisme est revendiqué par Dionysos. Il est lié à l'éloge de la jouissance improductive : ici la parure, l'art, l'acte gratuit, la fête. La transgression dont il est l'incarnation apporte un soulagement à Robinson, crispé dans un sérieux néfaste.

Dionysos n'est plus ici le dieu inquiétant qui apportait la folie et la mort. C'est la part positive, bienfaisante du dieu qui est développée par Tournier comme par Nietzsche [2]. Il rappelle à la réalité du corps, de la nature, du cosmos dont une civilisation puritaine et castratrice nous a séparés. Il en souligne au contraire le rôle positif voire civilisateur. Car Dionysos exprime l'énergie du vouloir-vivre qui se ressource dans l'élan vital originel. Aussi prend-il le visage du sauvage et de l'enfant. Car la quête de l'homme supérieur par Robinson, nouveau Zarathoustra, est aussi une quête de l'innocence.

1. D'après le titre du livre de G. Bataille, *La Part maudite*.

2. Voir l'article de J. de Romilly, « Visages grecs de l'ivresse », in *Corps écrit*, n° 13, 1985.

CONCLUSION

Vendredi ou les Limbes du Pacifique renoue avec les ambitions des genres épiques, allégoriques et mystiques disparus d'où, à la fois, sa « nouveauté » et son classicisme. La quête initiatique de Robinson souligne l'orientation spiritualiste du roman dont le réalisme n'occulte pas la dimension symbolique. « Naturaliste mystique » (*C.S.*, p. 194), Michel Tournier retrouve une dimension du réel abandonnée par le roman depuis qu'il a perdu tout contact avec le sacré.

À la fois conte philosophique qui dénonce avec humour les tares de notre société et roman mythologique où l'homme retrouve la fraternité avec les éléments, les astres, les animaux, les plantes dans un cosmos vivant, *Vendredi ou les Limbes du Pacifique* associe réalisme et fantastique selon une formule neuve : le roman se déroule à deux niveaux : son contenu manifeste se développe dans un monde historiquement daté, son contenu latent renvoie au temps de la Genèse quand les règnes n'étaient pas séparés. Le discours subjectif à la première personne où s'exprime l'interprétation personnelle des faits par Robinson double le récit objectif à la troisième personne et permet de concilier le mythe et la réalité.

En inversant le cours du temps, en redécouvrant le temps cyclique, Robinson retrouve la dimension du héros épique qui obtient le secret de l'immortalité.

À lire dynamiquement *Vendredi*, à la manière de Gaston Bachelard, on voit que Robinson est le théâtre d'une lutte du terrestre et de l'aérien. L'image récurrente de la chrysalide devenue papillon impose comme un leitmotiv le thème de la métamorphose spirituelle. Échapper par le vol à « l'esprit de pesanteur » selon l'expression de Nietzsche, c'est opérer une véritable transmutation de l'être. C'est bien cette « inversion des valeurs » au sens nietzschéen du terme [1], que signifient symboliquement les images du pendu par les pieds, des cartes du tarot, de l'arbre renversé, dont les racines deviennent feuillage, du bouc métamorphosé en harpe éolienne et en cerf-volant, images redoublées de la conversion du bas en haut, du monde terrestre en monde éolien et solaire, annonciatrices de l'inversion principale, celle des valeurs de la vie sauvage qui se substituent à celles de la vie civilisée. Vendredi, l'inverseur de signes, évoque Dionysos, celui qui brise les valeurs mais aussi le créateur. L'homme-plante, l'homme du rire et de la danse fait retrouver à Robinson le sens de la fête, du théâtre, du jeu, l'art, la musique, toutes valeurs associées au dieu grec de l'ivresse célébré par Nietzsche [2]. Vendredi incarne cet aspect positif du désordre sans lequel l'ordre stérilise la création.

Contrairement aux romantiques qui fuient le monde réel, Michel Tournier restaure l'unité brisée du monde matériel et du monde transcendant. Comme Nietzsche, il veut réintégrer le surhumain dans l'humain, fonction qu'assume Dio-

1. F. Nietzsche, *Le Crépuscule des Idoles,* p. 10, *La Naissance de la tragédie,* p. 101 et *L'Antéchrist,* p. 24.

2. F. Nietzsche, *La Naissance de la tragédie.* Voir aussi J. de Romilly, « Visages grecs de l'ivresse », in *Corps écrit,* n° 13, 1985.

nysos, le dieu qui meurt et qui renaît, le dieu de toutes les transgressions et de toutes les démesures qui fait éclater les barrières de l'individualisme et retrouver les sensations cosmiques.

Les métaphores alchimiques dans *Vendredi ou les Limbes du Pacifique* expriment la transmutation de l'âme capable de retrouver la perfection de l'androgyne originel et ses pouvoirs. L'ambition du roman est immense puisque Robinson, nouveau Zarathoustra, propose à l'homme de retrouver l'état divin.

Avec *Vendredi ou les Limbes du Pacifique*, Michel Tournier trouve d'emblée la formule du roman mythologique qui, en se déroulant à deux niveaux et en associant récit à la troisième et à la première personne, permet d'unir réalisme et fantastique. Sont également en germe dans ce premier roman, tous les grands thèmes qui s'épanouiront dans ses romans ultérieurs et dont la persistance assure son unité à l'univers de Tournier.

C'est dans *Vendredi* qu'apparaît pour la première fois la phorie, thème central du *Roi des Aulnes* qui lui donnera son plein épanouissement. Dans ses souvenirs, Robinson voit sa mère « émerger tranquillement d'un torrent de flammes et de fumée : tel un arbre ployant sous l'excès de ses fruits, elle portait ses six enfants indemnes sur ses épaules, dans ses bras, sur son dos, pendus à son tablier » (*V.*, p. 108). La phorie – le fait de porter ou d'emporter un enfant sur ses épaules, perversion propre à Tiffauges qui y découvre l'« euphorie » – est, à sa naissance, une image glorieuse liée à la mère.

Le thème de la gémellité, esquissé dans *Vendredi* – Robinson et Vendredi sont assimilés aux Dioscures, Castor et Pollux (*V.*, p. 231-232) –, repris dans *Le Roi des Aulnes* avec Haïo et Haro, devient le thème central des *Météores*. Fascinantes images de la plénitude originelle, les jumeaux finissent par se séparer comme se séparent Robinson et Vendredi. C'est dans la fusion avec l'univers élémentaire que Paul, comme Robinson, sublime la perte de son jumeau. *Les Météores* développent le thème de la fusion mystique avec le monde élémentaire sur quoi s'achevait *Vendredi*, donnant une dimension cosmique au thème de la gémellité.

De même le plaidoyer pour la réintégration des exclus dans *Vendredi* qui milite en faveur de la reconnaissance du sauvage et, derrière lui, de l'immigré, avec toutes les valeurs refoulées qui lui sont associées, trouve dans *Les Météores* un développement immense en faveur des marginaux de toutes sortes, anormaux, homosexuels ou rebuts humains de la société, liés aux grandes décharges d'ordures, gérées par Alexandre.

Le thème du « bon sauvage » sera repris mais inversé dans *La Goutte d'Or*. Ici l'immigré quitte sa solitude et perd son innocence pour plonger dans la civilisation corruptrice. Un conte inscrit dans le roman y développe le thème de la rousseur, liée à l'exclusion, et repris déjà dans *Le Roi des Aulnes*, avec les jumeaux roux Haïo et Haro : comme Robinson se réconciliait avec son corps, sa rousseur devenant le signe de son élection à la dignité de « chevalier solaire », Barberousse apprend à aimer ses cheveux roux que la tapissière exalte, dans son portrait, en les confondant avec la splendeur rousse d'un automne européen.

Vendredi est un hymne à la vie et à la joie, une vibrante réhabilitation du rire, du corps, du repos, du jeu, de la nature, de l'enfance. Contre une civilisation puritaine et castratrice, ce roman nietzschéen se ressource dans le monde primitif où les figures du sauvage et de l'enfant expriment, dans toute sa rigueur, l'énergie du vouloir vivre originel.

DOSSIER

Michel Tournier. Ph. X-D.R.

I. BIOGRAPHIE

1924	Naissance à Paris « J'étais un enfant hypernerveux, sujet à convulsions, un écorché imaginaire » (*V.P.,* p. 17).
1928	« L'Agression » : l'opération des amygdales, sans anesthésie lui « tatoue dans le cœur à l'âge le plus tendre une incurable méfiance à l'égard de mes semblables même les plus proches, même les plus tendres » (*V.P.,* p. 18).
1931	Envoyé pour des raisons de santé dans un home d'enfants, en Suisse, il y fait l'expérience de la solitude. Il « s'abreuve immodérément » de musique, son père, ayant fondé après la guerre de 1914 une société internationale de droits d'auteurs qui le met en relation avec des maisons de disques. « Écolier exécrable » (*V.P.*, p. 38), il est exclu de plusieurs établissements. Il se passionne pourtant pour la lecture de Benjamin Rabier, Selma Lagerlöf, Andersen, J.O. Curwood, les poètes parnassiens, Giono. Les vacances d'été se passent en Bourgogne dans la pharmacie du grand-père maternel, « une vraie caverne d'alchimiste » (*V.P.,* p. 12).

L'INFLUENCE DU MONDE GERMANIQUE

Les parents se sont rencontrés sur les bancs de la Sorbonne où ils étudiaient l'allemand. Le grand-oncle maternel était prêtre et enseignait l'allemand au collège Saint-François de Dijon. La mère de Michel entretient la tradition : chaque année, ses quatre enfants passent leurs vacances à Fribourg-en-Brisgau dans un foyer d'étudiants catholiques.

1933 « J'ai connu le nazisme à neuf ans, à dix ans, à onze ans, à douze ans. Ensuite ça a été la guerre. » Tournier se souvient des parades militaires du nazisme triomphant comme des paroles de son père, radical-socialiste, dénonçant ce régime et les discours du Führer.

1939 La grande maison familiale de Saint-Germain-en-Laye est occupée par vingt-deux hommes de troupe de l'armée allemande. En 1941, la famille la quitte pour un appartement à Neuilly d'où les chassent la famine et le froid. La mère de Michel loue un presbytère désaffecté près de Bligny-sur-Ouche, son village natal. Seul un heureux hasard sauve Michel, en 1944, d'une rafle qui envoya à Buchenwald beaucoup d'hommes du village. Il y assiste à la Libération.

L'ÉTUDIANT EN PHILOSOPHIE

1941-1942 Michel Tournier découvre la philosophie en 1941 au lycée Pasteur de Neuilly où il eut pour maître Maurice de Gandillac et pour condisciple Roger Nimier.

Les livres de Gaston Bachelard, découverts pendant les vacances bourguignonnes de 1941-1942, le décident à opter pour la licence de philosophie.

1942-1946   Il suit les cours de Gaston Bachelard à la Sorbonne. Il fait partie d'un petit groupe d'intellectuels épris de philosophie parmi lesquels se trouvent Gilles Deleuze, Michel Foucault, François Châtelet et Michel Butor. En 1943, ils découvrent avec admiration *L'Être et le Néant* de Sartre mais sont très déçus en 1945 par sa conférence sur « L'existentialisme est un humanisme ».

Michel Tournier se passionne pour le *Parménide* et soutient en 1946, à la Sorbonne, un diplôme sur Platon.

1946-1950   Il part pour Tubingen étudier la philosophie allemande.

Ceci ne l'empêche pas de suivre de 1948 à 1949 des cours d'ethnologie au musée de l'Homme. Dans *Le Vol du Vampire,* M. Tournier signale l'influence, prépondérante pour sa carrière d'écrivain, de Claude Lévi-Strauss (voir dossier nº 9). Il fut aussi l'élève de Leroi-Gourhan : « Je me revois encore m'exerçant sous sa direction au maniement du boomerang. Et la pêche au cerf-volant, encore un emprunt à mon professeur. »

Il se présente au concours de l'agrégation en 1949 en même temps que Michel Butor. Tous deux sont recalés. « J'ai claqué derrière moi la porte de l'université. »

TRADUCTEUR ET JOURNALISTE

1950-1954   « J'habitais avec quelques gentils farfelus de mon espèce l'hôtel de la Paix, dans l'île Saint-Louis [...] Il y avait là Yvan Audouard, Georges de Caunes, Armand Gatti, Pierre Boulez, Georges Arnaud » (*V.P.,* p. 163). Michel Tournier gagne sa vie en traduisant des milliers de pages pour les éditions Plon, notamment l'œuvre d'Erich Maria Remarque, sans se douter que c'est une excellente école au métier d'écrivain. Il est producteur et réalisateur d'émissions pour la radio nationale.

1954-1958   Il est engagé comme journaliste à Europe n° 1. « C'était la grande époque de Gilbert Bécaud, de Charles Aznavour, Jacques Brel et Georges Brassens. »

L'ÉCRIVAIN

1958-1968   Il est chef des services littéraires des éditions Plon puis producteur à la télévision de l'émission Chambre noire consacrée à la photographie. La lecture de *La Chose littéraire* de Bernard Grasset l'éblouit et le décide à être un éditeur qui écrit.

1958   Il écrit la première version du *Roi des Aulnes,* jamais envoyée à l'éditeur.

1962	Il commence *Vendredi ou les Limbes du Pacifique*.
1967	Publication de *Vendredi ou les Limbes du Pacifique* qui obtient le Grand Prix de l'Académie française.
1970	Il obtient le prix Goncourt à l'unanimité avec *Le Roi des Aulnes*
1971	*Vendredi ou la Vie sauvage* paraît aux éditions Flammarion.
1972	Il est élu à l'Académie Goncourt. L'édition Folio de *Vendredi ou les Limbes du Pacifique* paraît enrichie de deux passages inspirés de *Vendredi ou la Vie sauvage*.
1975	*Les Météores. Le Fétichiste* (nouvelle) (édition de la Quinzaine littéraire).
1977	*Le Vent Paraclet* (autobiographie).
1978	*Le Coq de bruyère* (recueil de nouvelles).
1979	*Des Clés et des Serrures* (sous-titré Images et Proses et consacré à la photographie).
1980	*Gaspard, Melchior et Balthazar.*
1981	*Le Vol du Vampire* (essai). *Vues de dos* (en collaboration avec le photographe Édouard Boubat).
1983	*Les Rois Mages* (version récrite de *Gaspard, Melchior et Balthazar*). *Gilles et Jeanne.*
1984	*Le Vagabond immobile* (réflexions accompagnées de dessins de Jean Max Toubeau).
1985	*La Goutte d'Or.*
1986	*Petites Proses* (réunion de textes parus dans *Des Clés et des Serrures, Le Vagabond immobile*).
1988	*Le Tabor et le Sinaï* (éd. Belfond) (réflexions sur la peinture et le dessin).

1989   *Le Médianoche amoureux* (recueil de nouvelles et de contes).

Célibataire, Michel Tournier habite maintenant à Choisel un vieux presbytère de la vallée de Chevreuse. Il voyage beaucoup, l'Allemagne et les pays du Maghreb gardant sa préférence. Il participe, depuis 1968, aux Rencontres internationales de la photographie, à Arles, qu'il a fondées avec Lucien Clergue. Pour la première fois un colloque intitulé : « Images et signes de Michel Tournier » lui a été consacré au Centre culturel international de Cerisy-la-Salle (21-28 août 1990).

II. DOCUMENTS

A. DE WOODES ROGERS À MICHEL TOURNIER

No 1 WOODES ROGERS : L'HISTOIRE DE SELKIRK.

Le capitaine Woodes Rogers raconte dans ses mémoires comment le 31 janvier 1709, il découvrit sur la plage de l'île Más a Tierra la plus importante de l'archipel Juan Fernández, dans le Pacifique, un dénommé Alexandre Selcraig (Selkirk) qui allait donner naissance au mythe de Robinson.

Ce matin à sept heures [31 janvier 1709], nous sommes arrivés à l'île de Juan Fernández... Notre pinasse... ramena, en même temps qu'une grande quantité d'écrevisses, un homme vêtu de peaux de chèvres, qui avait l'air plus sauvage que leurs propriétaires originaux. Il se trouvait depuis quatre ans et quatre mois dans l'île, où il avait été abandonné par le capitaine Stradling du « Cinque Ports ». C'était un Écossais du nom d'Alexandre Selkirk, ancien maître d'équipage de ce « Cinque Ports », navire qui était venu ici en dernier lieu avec le capitaine Dampier. Celui-ci m'ayant dit que c'était le meilleur homme du bord, je m'entendis aussitôt avec lui pour en faire un officier chez nous. C'était lui qui avait allumé le feu la veille au soir, quand il avait vu nos vaisseaux, qu'il avait jugés être anglais. Au cours de son séjour dans l'île, il avait vu passer plusieurs navires, mais seuls deux avaient jeté l'ancre. Étant allé les observer, il avait vu que c'étaient des Espagnols et il avait battu en retraite, sur quoi ils lui avaient tiré dessus. Eût-ce été des Français qu'il se fût rendu ; mais il avait préféré risquer de mourir seul dans l'île que de

Capitaine Woodes Rogers, extrait de la *Croisière autour du Monde,* (1712), *in* Defoe, Gallimard, « Bibliothèque de la Pléiade », tome I, 1959, p. XXXIII.

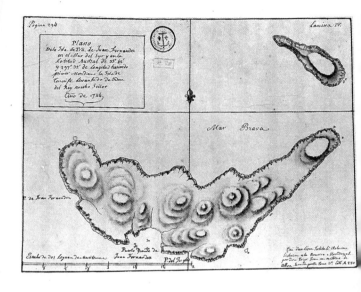

Plan de l'île Juan Fernández, 1744. Bibliothèque nationale, Paris. Ph. © Bibl. Nat.
« Il consacra plusieurs jours à dresser une carte de l'île qu'il compléta et enrichit
dans la suite au fur et à mesure de ses explorations. »

tomber entre les mains des Espagnols dans ces régions : il craignait qu'ils ne le missent à mort ou ne fassent de lui un esclave dans les mines, tant il pensait qu'ils n'épargneraient aucun étranger susceptible de faire des révélations sur les mers du Sud.

Les Espagnols avaient débarqué avant qu'il eût su qui ils étaient et ils l'approchèrent de si près qu'il eut fort à faire pour échapper : ils ne se contentèrent pas de faire feu sur lui, mais ils le poursuivirent jusque dans les bois où il grimpa à un arbre au pied duquel ils firent de l'eau. Ils tuèrent aussi quelques chèvres, mais repartirent sans l'avoir découvert. Il nous dit qu'il était né à Largo, dans le comté de Fife en Écosse, et qu'il avait été dès l'enfance élevé pour faire un marin. La raison pour laquelle il avait été abandonné là était un différend entre lui et son capitaine ; cette mésentente s'ajoutant au fait que le navire prenait quelque peu l'eau l'avait poussé à préférer tout d'abord rester là que de continuer avec le capitaine ; et quand finalement il s'était montré disposé à partir, c'était le capitaine qui n'avait plus voulu le recevoir. Il était déjà descendu dans l'île pour y faire de l'eau et du bois quand deux membres de l'équipage y avaient été laissés six mois dans l'attente du retour du navire, chassé de là par deux vaisseaux français de la mer du Sud.

Il avait avec lui ses vêtements et sa literie, un fusil à pierre, de la poudre, des balles, du tabac, une hachette, un couteau, une bouilloire, une Bible, quelques objets pratiques, ses compas et ses livres. Il s'occupa et pourvut à ses besoins du mieux qu'il put ; mais durant les huit premiers mois, il eut fort à faire pour tenir tête à la mélancolie et à la terreur nées de son abandon solitaire en un lieu aussi désert. Il se construisit deux huttes en poivriers, les couvrit de grandes herbes et les tendit de peaux de chèvres, desquelles il tua autant qu'il voulait avec son fusil tant que lui dura sa poudre (mais il n'en avait qu'une livre) ; quand celle-ci fut à peu près épuisée, il se procura du feu en frottant ensemble deux bâtons de poivrier sur son genou. Dans la plus petite cabane, située à quelque distance de l'autre, il rangea ses provisions ; et dans la plus grande, il dormait et s'occupait à lire, à chanter des psaumes et à prier ; si bien, dit-il, qu'il était meilleur chrétien dans sa solitude qu'il n'avait jamais été auparavant ou qu'il ne serait jamais, craignait-il, par la suite (p. XIX et XX).

Quand il fut arrivé à dominer sa mélancolie, il se divertit parfois à graver son nom dans l'écorce des arbres ; il y inscrivait la date à laquelle il avait été abandonné dans l'île et le temps qu'il y avait passé. Au début, il était grandement importuné par les chats et les rats, qui s'étaient multipliés en grand nombre à partir de spécimens de ces deux espèces descendus à terre de certains navires venus là pour faire de l'eau et du bois. Les rats rongeaient ses pieds et ses vêtements pendant son sommeil, ce qui l'obligea à amadouer les chats avec le lait de ses chèvres ; grâce à quoi ils devinrent si familiers qu'ils restaient auprès de lui par centaines, le délivrant bientôt des rats. Il apprivoisa aussi des chevreaux et, en guise de divertissement, il chantait et dansait de temps à autre avec eux et ses chats. De sorte que, grâce aux bons soins de la Providence et à la vigueur de sa jeunesse –, il était âgé à présent d'une trentaine d'années –, il finit par venir à bout de tous les inconvénients de sa solitude et être tout à fait à son aise (p. XXI).

Le capitaine Dampier parle d'un Indien Mosquito de l'équipage du capitaine Watlen, qui, étant à la chasse dans les bois au moment du départ du navire, avait vécu trois ans seul et s'était débrouillé de façon assez semblable à celle de M. Selkirk jusqu'à ce que le capitaine Dampier vînt en 1684 et l'emmenât (p. XXXIII).

Nº 1 *BIS* L'ÉPISODE DE LA CHUTE.

Le capitaine Woodes Rogers évoque l'étonnante vélocité de Robinson capable de rattraper à la course n'importe quelle chèvre. Une de ces poursuites a failli un jour lui coûter la vie puisqu'il n'a pas vu un précipice et est tombé avec la chèvre d'une très grande hauteur. Cet épisode a inspiré Michel Tournier qui l'a transformé : c'est Vendredi, dans sa lutte avec Andoar, qui tombe du haut d'une falaise (*V.,* p. 198), ce qui entraîne la mort du grand bouc.

[...] il courait avec une rapidité étonnante à travers bois, dans les rochers ou dans les côtes, comme nous le vîmes quand nous lui demandâmes d'attraper des chèvres pour nous. Nous avions un bouledogue et nous l'envoyâmes avec plusieurs de nos hommes les plus lestes pour l'aider à ce faire ; mais il les distança tous, hommes et chien, après les avoir fatigués, et il attrapa seul les chèvres qu'il nous rapporta sur son dos.

    Il nous raconta que son agilité à la poursuite d'une chèvre avait bien failli un jour lui coûter la vie : il la chassait avec tant d'ardeur qu'il la saisit juste au bord d'un précipice insoupçonné, les buissons le dissimulant à sa vue. Si bien qu'il tomba d'une grande hauteur avec l'animal au fond dudit précipice ; il resta si étourdi, si meurtri de sa chute qu'il s'en fallut de peu qu'il ne perdît la vie ; et quand il reprit ses sens, il trouva la chèvre morte sous lui. Il resta étendu là près de vingt-quatre heures. Il eut à peine la force, ensuite, de se traîner jusqu'à sa cabane, distante d'un mille environ, et il ne put de dix jours mettre un pied dehors.

ibid., p. XX-XXI.

Defoe raconte la rencontre de Robinson avec « un vieux, un monstrueux, un épouvantable bouc semblant [...] lutter avec la mort ». **Cette description saisissante a peut-être suggéré à Michel Tournier le personnage d'Andoar. (Ce passage est commenté dans « Mythe et récriture », p. 44.)**

Tandis que là j'abattais du bois, j'avais donc aperçu derrière l'épais branchage d'un hallier une espèce de cavité, dont je fus curieux de voir l'intérieur. Parvenu, non sans difficulté, à son embouchure, je trouvai qu'il était assez spacieux, c'est-à-dire assez pour que je pusse m'y tenir debout, moi et peut-être une seconde personne ; mais je dois avouer que je me retirai avec plus de hâte que je n'étais entré, lorsque, portant mes regards vers le fond de cet antre, qui était entièrement obscur, j'y vis deux grands yeux brillants. Étaient-ils de diable ou d'homme, je ne savais ; mais la sombre lueur de l'embouchure de la caverne s'y réfléchissant, ils étincelaient comme deux étoiles.

Toutefois, après une courte pause, je revins à moi, me traitant mille fois de fou, et me disant que ce n'était pas à celui qui avait vécu vingt ans tout seul dans cette île à s'effrayer du diable, et que je devais croire qu'il n'y avait rien dans cet antre de plus effroyable que moi-même. Là-dessus, reprenant courage, je saisis un tison enflammé et me précipitai dans la caverne avec ce brandon à la main. Je n'y eus pas fait trois pas que je fus presque aussi effrayé qu'auparavant ; car j'entendis un profond soupir pareil à celui d'une âme en peine, puis un bruit entrecoupé comme des paroles à demi articulées, puis encore un profond soupir. Je reculai tellement stupéfié, qu'une sueur froide me saisit, et que si j'eusse eu mon chapeau sur ma tête, assurément mes cheveux l'auraient jeté à terre.

Robinson Crusoé, p. 193.

Frontispice de l'édition originale de *Robinson Crusoé*, 1719. Ph. © Coll. Viollet.
« ... Robinson se trouvait coupé du calendrier des hommes, comme il était séparé d'eux par les eaux, et réduit à vivre sur un îlot de temps, comme sur une île dans l'espace. »

Mais, rassemblant encore mes esprits du mieux qu'il me fut possible, et ranimant un peu mon courage en songeant que le pouvoir et la présence de Dieu règnent partout et partout pouvaient me protéger, je m'avançai de nouveau, et à la lueur de ma torche, que je tenais au-dessus de ma tête, je vis gisant sur la terre un vieux, un monstrueux et épouvantable bouc, semblant, comme on dit, lutter avec la mort : il se mourait de vieillesse.

Je le poussai un peu pour voir s'il serait possible de le faire sortir ; il essaya de se lever, mais en vain. Alors je pensai qu'il pouvait fort bien rester là, car de même qu'il m'avait effrayé, il pourrait, tant qu'il aurait un souffle de vie, effrayer les sauvages s'il s'en trouvait d'assez hardis pour pénétrer en ce repaire.

Nº 3 TOURNIER LECTEUR DE DEFOE.

Michel Tournier résume dans _Le Vent Paraclet_ l'histoire de Selkirk telle que nous la raconte le capitaine Woodes Rogers. Il évoque ici le retour de Selkirk et les épisodes de sa vie après son aventure robinsonienne.

Selkirk fit preuve des plus grandes qualités marines auxquelles s'ajoutait une indifférence à l'égard de l'alcool et du tabac qu'il devait à sa longue abstinence. Parfois un navire capturé venait grossir l'expédition. Il fallait alors lui trouver un équipage et un capitaine. C'est ainsi que Selkirk se vit finalement confier le commandement d'une capture rebaptisée l'_Increase_. Il participa brillamment en cette qualité à la mise à sac de la ville espagnole de Guayaquil en Équateur. Il dut attendre le 14 octobre 1711 pour fouler à nouveau la terre maternelle qu'il avait quittée huit ans, un mois et trois jours auparavant.

Michel Tournier,
Le Vent Paraclet,
p. 216.

La sensation que provoqua son retour fut considérable. Chose remarquable, des aventures de ce genre – naufragés revenant après des années de solitude passées sur un îlot – ne manquaient pas dans le passé. Il serait facile d'en citer bon nombre, à commencer par celle de l'Indien Mosquito dont nous avons déjà parlé. Aucune n'avait eu le retentissement de celle de Selkirk. Ce point importe à notre propos. C'est qu'en effet pour la première fois le terrain était prêt à recevoir ce fait divers, semence de mythe.

Il commente ensuite les modifications que Defoe fit subir à l'histoire vraie, dans son roman : *Robinson Crusoé*.

Les écarts entre l'histoire et l'œuvre littéraire sont nombreux. D'abord les lieux. Oubliée l'île Más a Tierra dans le Pacifique ! Robinson Crusoé sera jeté sur une île des Caraïbes, proche de l'embouchure de l'Orénoque, dans l'océan Atlantique par conséquent. Pourquoi ce changement ? Sans doute parce que l'auteur visant au succès populaire a préféré cette région du globe plus connue et plus riche en légendes et en récits que l'archipel Juan Fernández. De même la durée de la solitude du héros passe de quatre ans et quatre mois à vingt-huit ans. Il faut ce qu'il faut ! Selkirk avait été déposé à Más a Tierra en demi-mutiné, en tout cas pour incompatibilité d'humeur avec son commandant. Crusoé est jeté sur son île à la suite d'un naufrage dont il est le seul survivant. C'est plus édifiant, seul le doigt de Dieu étant intervenu dans ce coup du sort. Mais bien entendu, c'est à mes yeux au moins l'invention du personnage de Vendredi qui constitue l'apport le plus génial de Daniel Defoe aux données historiques. Nous y reviendrons.

Ibid., p. 217.

Ce qui compte au premier chef, c'est le succès de ce livre qui fut éclatant au double sens du terme. Car le pauvre Daniel Defoe qui n'avait connu auparavant pour des ouvrages sérieux et méritoires que misère et persécution se retrouva vite célèbre et riche, à telle enseigne qu'il se hâta de donner une suite, des suites, aux aventures de Robinson Crusoé. Le lecteur d'aujourd'hui qui aborde pour la première fois une édition complète du roman n'est pas peu surpris de constater que l'épisode de l'île déserte n'occupe que son premier tiers, le reste se situant dans le monde entier jusqu'à la mort de Vendredi revenu malencontreusement dans la fameuse île et tué par des Indiens qui pourraient être ses frères.

On aurait rêvé pour lui un destin hors du commun, une vie marquée à tout jamais par l'aventure exemplaire de sa jeunesse, orientée par une vocation impérieuse – littéraire, philosophique, religieuse ou simplement perverse – née dans les montagnes pelées de Más a Tierra. Defoe se contente de le faire torturer par une incoercible bougeotte. Un autre roman reste à écrire sur l'impossible réinsertion sociale du grand solitaire du Pacifique. Or la suite et la fin d'Alexandre Selkirk sont banales. Il se marie, embarque à nouveau, meurt en 1723 à bord d'un vaisseau de Sa Majesté, le *Weymouth*.

Ibid., p. 217.

B. RÉCRITURES ANTÉRIEURES

N° 4 ROUSSEAU : *ÉMILE*

« Il y a un écrivain qui a failli me couper l'herbe sous le pied », **écrit Michel Tournier. C'est Jean-Jacques Rousseau qui veut que** *Robinson Crusoé*, « ce merveilleux livre », **soit le premier que lise Émile.**

Ce passage de l'*Émile* montre les raisons de l'intérêt de Rousseau pour Robinson : seul sur son île, Robinson échappe aux préjugés de l'homme en société.

« On s'aperçoit que, dans l'esprit de Jean-Jacques Rousseau, le bon sauvage, ce n'est pas Vendredi, c'est Robinson », écrit Michel Tournier (*Le Magazine littéraire,* n° 226).

Puisqu'il nous faut absolument des livres, il en existe un qui fournit, à mon gré, le plus heureux traité d'éducation naturelle. Ce livre sera le premier que lira mon Émile ; seul il composera durant longtemps toute sa bibliothèque, et il y tiendra toujours une place distinguée. Il sera le texte auquel tous nos entretiens sur les sciences naturelles ne serviront que de commentaire. Il servira d'épreuve durant nos progrès à l'état de notre jugement ; et, tant que notre goût ne sera pas gâté, sa lecture nous plaira toujours. Quel est donc ce merveilleux livre ? Est-ce Aristote ? est-ce Pline ? est-ce Buffon ? Non ; c'est *Robinson Crusoé*.

Robinson Crusoé dans son île, seul, dépourvu de l'assistance de ses semblables et des instruments de tous les arts, pourvoyant cependant à sa subsistance, à sa conservation, et se procurant même une sorte de bien-être, voilà un objet intéressant pour tout âge, et qu'on a mille moyens de rendre agréable aux enfants. Voilà comment nous réalisons l'île déserte qui me servait d'abord de comparaison. Cet état n'est pas, j'en conviens, celui de l'homme social ; vraisemblablement il ne doit pas être celui d'Émile : mais c'est sur ce même état qu'il doit apprécier tous les autres. Le plus sûr moyen de s'élever au-dessus des préjugés et d'ordonner ses jugements sur les vrais rapports des choses, est de se mettre à la place d'un homme isolé, et de juger de tout comme cet

Jean-Jacques Rousseau, *Émile,* Livre III, Gallimard, « Bibliothèque de la Pléiade », 1969, p. 454-455.

homme en doit juger lui-même, eu égard à sa propre utilité.

Ce roman, débarrassé de tout son fatras, commençant au naufrage de Robinson près de son île, et finissant à l'arrivée du vaisseau qui vient l'en tirer, sera tout à la fois l'amusement et l'instruction d'Émile durant l'époque dont il est ici question. Je veux que la tête lui en tourne, qu'il s'occupe sans cesse de son château, de ses chèvres, de ses plantations ; qu'il apprenne en détail, non dans ses livres, mais sur les choses, tout ce qu'il faut savoir en pareil cas ; qu'il pense être Robinson lui-même ; qu'il se voie habillé de peaux, portant un grand bonnet, un grand sabre, tout le grotesque équipage de la figure, au parasol près, dont il n'aura pas besoin. Je veux qu'il s'inquiète des mesures à prendre, si ceci ou cela venait à lui manquer, qu'il examine la conduite de son héros, qu'il cherche s'il n'a rien omis, s'il n'y avait rien de mieux à faire ; qu'il marque attentivement ses fautes, et qu'il en profite pour n'y pas tomber lui-même en pareil cas ; car ne doutez point qu'il ne projette d'aller faire un établissement semblable ; c'est le vrai château en Espagne de cet heureux âge, où l'on ne connaît d'autre bonheur que le nécessaire et la liberté.

Quelle ressource que cette folie pour un homme habile, qui n'a su la faire naître qu'afin de la mettre à profit ! L'enfant, pressé de se faire un magasin pour son île, sera plus ardent pour apprendre que le maître pour enseigner. Il voudra savoir tout ce qui est utile, et ne voudra savoir que cela ; vous n'aurez plus besoin de le guider, vous n'aurez qu'à le retenir. Au reste, dépêchons-nous de l'établir dans cette île, tandis qu'il y borne sa félicité ; car le jour approche où, s'il y veut vivre encore, il n'y voudra plus vivre seul, et où *Vendredi,* qui maintenant ne le touche guère, ne lui suffira pas longtemps.

« Images à Crusoé », écrit en 1904, au retour de la
Guadeloupe, exprime la nostalgie des îles où Saint-
John Perse a passé son enfance. Le poète s'identifie
à Robinson et imagine que, revenu en Angleterre,
celui-ci ne se console pas d'avoir quitté son île.

Le poème « Vendredi », illustre le mythe rous-
seauiste du bon sauvage corrompu par la société.

LES CLOCHES

Vieil homme aux mains nues,
remis entre les hommes, Crusoé !

tu pleurais, j'imagine, quand des tours de
l'Abbaye, comme un flux, s'épanchait le sanglot des
cloches sur la Ville.

Ô dépouillé !

Tu pleurais de songer aux brisants sous la
lune ; aux sifflements de rives plus lointaines ; aux
musiques étranges qui naissent et s'assourdissent
sous l'aile close de la nuit,

pareilles aux cercles enchaînés que sont les
ondes d'une conque, à l'amplification de clameurs
sous la mer...

VENDREDI

Rires dans du soleil,
ivoire ! agenouillements timides, les mains aux
choses de la terre...

Vendredi ! que la feuille était verte, et ton
ombre nouvelle, les mains si longues vers la terre,
quand, près de l'homme taciturne, tu remuais sous
la lumière le ruissellement bleu de tes membres !

— Maintenant l'on t'a fait cadeau d'une
défroque rouge. Tu bois l'huile des lampes et voles

Saint-John   Perse,
Éloges,   «   Poésie
Gallimard », 1960.

au garde-manger ; tu convoites les jupes de la cuisinière qui est grasse et qui sent le poisson ; tu mires au cuivre de ta livrée tes yeux devenus fourbes et ton rire, vicieux.

N° 6 GIRAUDOUX : *SUZANNE ET LE PACIFIQUE*

Dans la cachette abandonnée par le naufragé qui l'a précédée sur l'île, Suzanne trouve le livre : *Robinson Crusoé*. Elle formule alors, à l'égard du héros de Defoe, de virulentes critiques. Le livre de Michel Tournier semble répondre, en 1967, à ce texte écrit en 1921 par Giraudoux (ce rapprochement est développé dans « Mythe et récriture », p. 47).

Mais moi qui cherchais dans ce livre des préceptes, des avis, des exemples, j'étais stupéfaite du peu de leçons que mon aîné homme me donnait. D'abord c'était un Allemand de Brême, nommé Kreuzer ; j'en étais un peu déçue, comme un geôlier américain qui retrouve un nègre ou un Chinois là où il enferma un superbe Irlandais. Puis, peut-être à cause de cette mauvaise foi que me donnait son origine, je le trouvai geignard, incohérent. Ce puritain accablé de raison, avec la certitude qu'il était l'unique jouet de la Providence, ne se confiait pas à elle une seule minute. À chaque instant pendant dix-huit années, comme s'il était toujours sur son radeau, il attachait des ficelles, il sciait des pieux, il clouait des planches. Cet homme hardi frissonnait de peur sans arrêt, et n'osa qu'au bout de treize ans reconnaître toute son île. Ce marin qui voyait de son promontoire à l'œil nu les brumes d'un continent, alors que j'avais nagé au bout de quelques mois dans tout l'archipel, jamais n'eut l'idée de partir vers lui. Maladroit, creusant des bateaux au centre de l'île, marchant toujours sur l'équateur avec des ombrelles comme sur un fil

Jean Giraudoux, *Suzanne et le Pacifique*, © Éditions Grasset, 1939.

de fer. Méticuleux, connaissant le nom de tous les plus inutiles objets d'Europe, et n'ayant de cesse qu'il n'eût appris tous les métiers. Il lui fallait une table pour manger, une chaise pour écrire, des brouettes, dix espèces de paniers (et il désespéra de ne pouvoir réussir la onzième), plus de filets à provisions que n'en veut une ménagère les jours de marché, trois genres de faucilles et faux, et un crible, et des roues à repasser, et une herse, et un mortier, et un tamis. Et des jarres, carrées, ovales et rondes, et des écuelles et un miroir Brot, et toutes les casseroles. Encombrant déjà sa pauvre île, comme sa nation plus tard allait faire le monde, de pacotille et de fer-blanc. Le livre était plein de gravures, pas une seule qui me le montrât au repos : c'était Robinson bêchant, ou cousant, ou préparant onze fusils dans un mur à meurtrières, disposant un mannequin pour effrayer les oiseaux. Toujours agité, non comme s'il était brouillé avec eux, et ne connaissant aucun des deux périls de la solitude, le suicide et la folie. Le seul homme peut-être, tant je le trouvais tatillon et superstitieux, que je n'aurais pas aimé rencontrer dans une île. Ne brûlant jamais sa forteresse dans un élan vers Dieu, ne songeant jamais à une femme, sans divination, sans instinct. Si bien que c'était moi qui prenais la parole à chaque instant pour lui donner des conseils, pour lui dire : « Va donc à gauche, va donc à droite ! » Pour lui dire : « Là, assieds-toi, pose ton fusil, ton ombrelle et ta canne. Tu es sur un promontoire, des perroquets t'entourent, écris donc quelques vers : pourquoi diable n'es-tu pas de Düsseldorf au lieu d'être de Brême ! Ne travaille pas trois mois à te faire une table : accroupis-toi. Ne perds pas six mois à te faire un prie-Dieu : là, agenouille-toi. Ne trouve pas le moyen d'avoir ici des éboulements comme dans un pays de mineurs, des accidents d'électricité comme dans un siècle futur. Ton parapluie, ton ombrelle et ton en-cas, tant pis si tu n'arrives pas à perfectionner le ressort qui les tient fermés, laisse-les tout ouverts à la porte des forêts où tu ne peux pénétrer avec eux. Pense plutôt à moi, qui, pour te jouer un tour, aurais appuyé de la main, non du pied, sur le sable de ton île, et disparu. Que diable aurais-tu dis de cette main de femme ! Cet arbre que tu veux couper pour planter ton orge, secoue-le, c'est un palmier, il te donnera le pain tout cuit ; cet autre que tu arraches pour semer tes petits pois, cueille sur lui ces serpents jaunes appelés bananes, écosse-les. Je t'aime, malgré tout, toi qui parles du goût de chaque oiseau de l'île et jamais de son chant. Que dirais-tu d'un verre de bière ? »

Vendredi s'engouffrait en moi jusqu'à mon cœur d'un chemin plus court que celui d'un plongeur de nacre. Tout ce que pensait Vendredi me semblait naturel, ce qu'il faisait, utile ; pas un conseil à lui donner. Ce goût de la chair humaine qu'il conserva quelques mois encore, je le comprenais. Le moindre de ses pas en dehors du chemin battu de Robinson, je sentais qu'il eût mené à une source ou à un trésor ; et tout ce que ce Kreuzer maniaque avait passé des années à accomplir devenait justifié par sa seule présence.

No 7 VALÉRY : *HISTOIRES BRISÉES.*

Dans *Le Vent Paraclet* où Michel Tournier évoque la genèse de *Vendredi,* il reconnaît l'influence de Valéry.

« On trouve dans les *Histoires brisées* une ébauche de Robinson. » **Ce texte du *Vent Paraclet* est ici confronté à quelques extraits du « Robinson » de Valéry, susceptibles d'avoir inspiré Michel Tournier (notamment celui que Tournier cite presque intégralement).**

L'idée des « notes » de Robinson semble avoir retenu l'attention de Michel Tournier : le log-book est ici en germe. Valéry insiste sur l'aspect créateur de Robinson, il évoque la possibilité de la folie, de la crise mystique.

Les passages essentiels du texte de Valéry (paru en 1950) sont soulignés (par nous-même).

Que le thème de Robinson Crusoé se prêtât à une version de ce genre — l'aventure cérébrale noyée dans un contexte romanesque classique — c'est ce qui ne pouvait échapper à Paul Valéry. On trouve dans ses *Histoires brisées* une ébauche de Robinson : « Robinson reconstitue sans livres, sans écrits, sa vie intellectuelle. Toute la musique qu'il a entendue lui revient... Sa mémoire se développe par la demande, et la solitude et le vide. Il est penché sur elle. Il retrouve des livres lus — note ce qui lui en revient. *Ces notes sont bien curieuses.* Enfin le voici qui *prolonge* et crée à la suite. » Le nom de Vendredi n'est jeté qu'une fois au milieu de ces ébauches, mais le problème d'autrui, de l'absence ou de la présence fantomatique d'autrui, devait bien évidemment se présenter à Paul Valéry qui commenta ainsi un dessin colorié placé en tête de la première édition des *Histoires brisées* : « Quoique son île fût déserte, il mit une plume à son chapeau : il lui semblait qu'il créât par là quelqu'un qui regardât la plume ».

Il respirait distraitement. Il ne savait quel fantôme poursuivre. *Il était menacé de créer les lettres et les arts.* Le soleil lui semblait trop beau et le rendait triste. Il eût presque inventé l'amour, s'il n'eût été si sage et puis si seul.

Il lui semblait que l'amas de ses richesses dégageait de l'oisiveté, et qu'il en émanât je ne sais quelle substance virtuelle de durée,

Michel Tournier, *Le Vent Paraclet*, Gallimard, p. 232.

Paul Valéry, *Histoires brisées*, Gallimard, « Bibliothèque de la Pléiade », tome II, « Robinson », p. 412.

comme il émane de certains métaux une sorte de chaleur naturelle.

Robinson. *Ibid.*, p. 414.
 Solitude.
 Création du loisir. Conservation.
 Temps vide. Ornement.
 Danger de perdre tête, de perdre tout langage.
 Lutte. Tragédie. Mémoire. Prière de Robinson.
 Imagine des foules, des *théâtres,* des rues.
 Tentation. Soif du pont de Londres.
 Il veut écrire à des personnes imaginées, embrasse des arbres, parle tout seul. Crises de rire. Peu à peu n'est plus soi.
 Il se développe en lui une horreur invincible du ciel, de la mer, de la nature.

Le Robinson pensif. *Ibid.*, p. 415.
 (Manuel du Naufragé.).
 Dieu et Robinson – (nouvel Adam).
 Tentation de Robinson.
 Le pied marqué au sable lui fait croire à une femme.
 Il imagine un Autre. Serait-ce un homme ou une femme ?
 Robinson divisé – poème.
Coucher de soleil – Mer.

Robinson reconstitue sans livres, sans écrit, sa vie *Ibid.*, p. 416.
intellectuelle. – Toute la musique qu'il a entendue lui revient – Même celle dont le souvenir ne lui était pas encore venu revient. Sa mémoire se développe par la demande, et la solitude et le vide *– Il est penché sur elle. Il retrouve des livres lus – note ce qui lui en revient. Ces notes sont bien curieuses.*
 Enfin *le voici qui prolonge et crée à la suite.*

C. DU MYTHE AU ROMAN

N° 8 DÉFINITION DU MYTHE PAR DENIS DE ROUGEMONT *(L'AMOUR ET L'OCCIDENT)* ; LÉVI-STRAUSS *(LA PENSÉE SAUVAGE)*

Voici les définitions que donnent du mythe Denis de Rougemont et Claude Lévi-Strauss dont Michel Tournier, dans *Le Vent Paraclet*, reconnaît l'influence sur son œuvre.

C'est une histoire qui se passe *« in illo tempore »*, au commencement des temps et qui fournit, en même temps, un schème d'une efficacité permanente pour comprendre un grand nombre de situations historiques.

« Un mythe [...] est une fable symbolique [...] résumant un nombre infini de situations plus ou moins analogues. Le mythe permet de saisir d'un coup d'œil certains types de relations constantes, et de les dégager du fouillis des apparences quotidiennes. » *(L'Amour et l'Occident,* p. 19).

Claude Lévi-Strauss utilise l'image du bricolage pour expliquer le fonctionnement des mythes et de leurs variantes :

« Les images signifiantes du mythe, les matériaux du bricoleur, sont des éléments définissables par un double critère : ils ont servi, comme mots d'un discours que la réflexion mythique "démonte", à la façon du bricoleur soignant les pignons d'un vieux réveil démonté ; et ils peuvent encore servir au même usage, ou à un usage différent pour peu qu'on les détourne de leur première fonction. » *(La Pensée sauvage,* p. 48-49).

L'image du kaléidoscope lui permet de mettre en évidence la structure rigoureuse du mythe qui, même détruit, ne cesse de voir ses fragments se recomposer pour former de nouveaux ensembles non moins rigoureusement construits : « Cette

Arlette Bouloumié, *Michel Tournier, le roman mythologique,* José Corti, 1988.

logique opère un peu à la façon, du kaléidoscope : instrument qui contient aussi des bribes et des morceaux, au moyen desquels se réalisent des arrangements structuraux. »

Le langage allégorique est défini ainsi par Northrop Frye : « On qualifiera un écrivain d'auteur allégorique lorsqu'il nous indique de façon évidente : en disant telle chose, j'ai voulu également dire telle autre. »

N° 8 *BIS* DÉFINITION DU MYTHE
PAR MICHEL TOURNIER.

Michel Tournier explique dans *Le Vent Paraclet* l'importance du mythe dans sa vocation d'écrivain. Le langage du mythe, à la fois concret et transcendant, lui a permis de passer de « la métaphysique au roman **». Il donne ici diverses définitions du mythe qu'il distingue de l'allégorie, et il insiste sur la fonction sociale du mythe.**

Le passage de la métaphysique au roman devait m'être fourni par le mythe. Qu'est-ce qu'un mythe ? À cette question immense, je serais tenté de donner une série de réponses dont la première, la plus simple est celle-ci : *le mythe est une histoire fondamentale.*

Le mythe, c'est tout d'abord un édifice à plusieurs étages qui reproduisent tous le même schéma, mais à des niveaux d'abstraction croissante [...].

Ce rez-de-chaussée enfantin du mythe est l'une de ses caractéristiques essentielles, tout autant que son sommet métaphysique. [...]

Un mythe est une histoire que tout le monde connaît déjà. [...] André Gide a dit qu'il n'écrivait pas pour être lu mais pour être relu. Il voulait dire par là qu'il entendait être lu au moins deux fois. J'écris moi aussi pour être relu, mais, moins

Michel Tournier, *Le Vent Paraclet,* Gallimard, p. 188-190

exigeant que Gide, je ne demande qu'une seule lecture. Mes livres doivent être reconnus – relus – dès la première lecture.

On cernera mieux la nature du mythe en comparant personnage de roman et héros mythologique. Soit par exemple Julien Sorel ou Vautrin. Ces personnages ont une double caractéristique. D'abord ils sont prisonniers des œuvres où ils apparaissent. Ils ont bien fait quelques apparitions sur les scènes ou à l'écran, mais parce que toute l'œuvre – *Le Rouge et le Noir*, *Le Père Goriot* – avait fait l'objet d'une adaptation dramatique. Corrélativement, aussi connus soient-ils, ils sont moins célèbres que leurs auteurs respectifs, Stendhal ou Balzac.

Il en va tout autrement d'un personnage mythologique, don Juan par exemple. Créé en 1630 par Tirso de Molina *(Le Séducteur de Séville)*, il a bien vite oublié et fait oublier ses origines. Qui connaît Tirso de Molina ? Qui ne connaît pas don Juan ? On l'a vu réapparaître partout de génération en génération dans des comédies, des romans, des opéras. On dirait que chaque pays, chaque époque a voulu donner sa version particulière du héros qui incarne la révolte du sexe contre Dieu et la société, l'utilisation du sexe contre l'ordre, contre tous les ordres. Mais peut-être cette pérégrination du séducteur d'œuvre a-t-elle un ressort caché et vivant. Si don Juan a animé tant de vies imaginaires, c'est sans doute parce qu'il a sa place dans la vie réelle. Si nous le rencontrons dans tant d'œuvres, c'est parce que nous le rencontrons dans la vie. Il y a des don Juan autour de nous, il y a du don Juan en nous. C'est l'un des modèles fondamentaux grâce auxquels nous donnons un contour, une forme, une effigie repérée à nos aspirations et à nos humeurs. [...]

L'homme ne s'arrache à l'animalité que grâce à la mythologie. L'homme n'est qu'un animal mythologique. L'homme ne devient homme, n'acquiert un sexe, un cœur et une imagination d'homme que grâce au bruissement d'histoires, au kaléidoscope d'images qui entourent le petit enfant dès le berceau et l'accompagnent jusqu'au tombeau. La Rochefoucauld se demandait combien d'hommes auraient songé à tomber amoureux s'ils n'avaient jamais entendu parler d'amour. Il faut radicaliser cette boutade et répondre : pas un seul. Pas un seul, car ne jamais entendre parler d'amour, ce serait subir une castration non seulement génitale, mais sentimentale, cérébrale, totale. Denis de Rougemont illustre également cette idée lorsqu'il affirme qu'un berger analphabète qui dit *je t'aime* à sa bergère n'entendrait pas la même chose par ces mots si Platon n'avait pas écrit *Le Banquet.* Oui, l'âme humaine se forme de la mythologie qui est dans l'air. [...]

Dès lors la fonction sociale – on pourrait même dire biologique – des écrivains et de tous les artistes créateurs est facile à définir. Leur ambition vise à enrichir ou au moins à modifier ce « bruissement » mythologique, ce bain d'images dans lequel vivent leurs contemporains et qui est l'oxygène de l'âme. Généralement ils n'y parviennent que par des petites touches insensibles. [...]

Mais il arrive aussi que l'écrivain frappant un grand coup métamorphose l'âme de ses contemporains et de leur postérité d'une façon foudroyante. Ainsi Jean-Jacques Rousseau *inventant* la beauté des montagnes, considérées depuis des millénaires comme une horrible anticipation de l'Enfer. Avant lui tout le monde s'accordait à les trouver affreuses. Après lui leur beauté paraît évidente. [...]

Ainsi Goethe créant avec Werther (1774) l'amour romantique et déclenchant du même coup une épidémie de suicides. Il est bien vrai de dire qu'aujourd'hui aucun homme n'aimerait comme il aime, si Goethe n'avait pas écrit son *Werther.*

Cette fonction de la création littéraire et artistique est d'autant plus importante que les mythes – comme tout ce qui vit – ont besoin d'être irrigués et renouvelés sous peine de mort. Un mythe mort, cela s'appelle une allégorie. La fonction de l'écrivain est d'empêcher les mythes de devenir des allégories

N° 9 L'INFLUENCE DE CLAUDE LÉVI-STRAUSS.

Dans *Le Vol du Vampire,* Michel Tournier rend hommage à son maître Claude Lévi-Strauss dont il suivit les cours d'ethnographie au musée de l'Homme en 1948 et 1949. Cette influence fut décisive dans la genèse de *Vendredi ou les Limbes du Pacifique* où le mythe de Robinson est récrit à la lumière des acquisitions modernes de l'ethnographie.

Il est tellement admis dans la mentalité occidentale que les jeunes gens se « choisissent » sous le simple coup brutal et anarchique de la « passion », qu'on imagine mal une société qui prendrait soin de codifier toutes les unions afin d'assurer à chacun sa juste place dans la communauté. C'est pourtant le propre de nombre de sociétés étudiées par Claude Lévi-Strauss. Ces sociétés – « dites primitives » selon sa propre expression – peuvent bien être techniquement sans commune mesure avec la nôtre, elles peuvent se révéler si fragiles qu'un seul contact avec l'énorme et redoutable Occident peut leur être fatal, il n'en reste pas moins qu'elles avaient réussi dans un domaine essentiel où la faillite de notre système s'aggrave d'année en année : l'intégration heureuse de l'individu au groupe.

Dès le début de l'année, Claude Lévi-Strauss nous assigna à chacun une population « dite primitive » sur laquelle nous avions tout à savoir avant les vacances. Parfois, en me regardant dans

Michel Tournier, *Le Vol du Vampire,* © Mercure de France, 1981, p. 386-387.

Photographie de Claude Lévi-Strauss. Nanbikwara : position de la main dans le tir à l'arc.

« Robinson se demanda longtemps qu'elle pouvait être la signification de ces tirs à l'arc... »

Photographie de Claude Lévi-Strauss. Tupi-kawahib : un homme dépouillant un singe.
« Dès le lendemain matin, le visage détendu et le corps dispos, il retourna à la
dépouille d'Andoar. »

ne glace, il m'arrive encore de me demander pourquoi il choisit pour moi les *Selknams,* tribu uégienne, éteinte depuis plus d'un siècle pour s'être montrée absolument réfractaire aux bienfaits de la civilisation et du christianisme. N'importe. Les six mois qui suivirent, je les ai passés par l'imagination entre le cap Horn et le détroit de Magellan, sur cette Terre de Feu battue par une tempête qui ne connaît pas de trêve, au milieu d'hommes qui laissaient flotter des grandes capes noires sur leurs corps nus badigeonnés de blanc. J'ai refait depuis d'autres expéditions imaginaires, aussi profondes et enrichissantes que cette « première », mais elles en découlèrent toutes.

Il ne me fallut pas moins de quinze ans pour exprimer à ma manière la leçon des sociétés dites « primitives » et des bons sauvages qui les composent. Mais, lorsque j'eus publié *Vendredi ou les Limbes du Pacifique,* j'hésitai à envoyer ce petit roman lyrique à mon ancien maître. Pourtant la filiation ne devait pas demeurer secrète. Un critique américain écrivit aussitôt du roman : « C'est Robinson Crusoé récrit par Freud, Walt Disney et Claude Lévi-Strauss ».

Nº 10 LE MYTHE DU BON SAUVAGE. DIDEROT : *SUPPLÉMENT AU VOYAGE DE BOUGAINVILLE.*

Vendredi ou les Limbes du Pacifique développe le mythe du bon sauvage qui, de Montaigne à Lévi-Strauss, traverse toute la littérature française. Après Rousseau, Diderot a développé ce thème de l'innocence et du bonheur de l'homme dans la nature en écrivant un *Supplément au Voyage de Bougainville.* Michel Tournier actualise des thèmes très anciens comme le montre ce texte où le mythe du bon sauvage apparaît, avant tout, comme un mythe

critique, servant à mettre en question les valeurs de la société occidentale.

Puis s'adressant à Bougainville, il ajouta : « Et toi, chef des brigands qui t'obéissent, écarte promptement ton vaisseau de notre rive : nous sommes innocents, nous sommes heureux ; et tu ne peux que nuire à notre bonheur. Nous suivons le pur instinct de la nature ; et tu as tenté d'effacer de nos âmes son caractère. Ici tout est à tous ; et tu nous as prêché je ne sais quelle distinction du *tien* et du *mien.* Nos filles et nos femmes nous sont communes ; tu as partagé ce privilège avec nous ; et tu es venu allumer en elles des fureurs inconnues. Elles sont devenues folles dans tes bras ; tu es devenu féroce entre les leurs. Elles ont commencé à se haïr ; vous vous êtes égorgés pour elles ; et elles nous sont revenues teintes de votre sang. Nous sommes libres ; et voilà que tu as enfoui dans notre terre le titre de notre futur esclavage. Tu n'es ni un dieu, ni un démon : qui es-tu donc, pour faire des esclaves ? Orou ! toi qui entends la langue de ces hommes-là, dis-nous à tous, comme tu me l'as dit à moi-même, ce qu'ils ont écrit sur cette lame de métal : *Ce pays est à nous.* Ce pays est à toi ! et pourquoi ? parce que tu y as mis le pied ? Si un Tahitien débarquait un jour sur vos côtes, et qu'il gravât sur une de vos pierres ou sur l'écorce d'un de vos arbres : *Ce pays est aux habitants de Tahiti,* qu'en penserais-tu ? Tu es le plus fort ! Et qu'est-ce que cela fait ? Lorsqu'on t'a enlevé une des méprisables bagatelles dont ton bâtiment est rempli, tu t'es récrié, tu t'es vengé ; et dans le même instant tu as projeté au fond de ton cœur le vol de toute une contrée ! Tu n'es pas esclave : tu souffrirais plutôt la mort que de l'être, et tu veux nous asservir ! Tu crois donc que le Tahitien ne sait pas défendre sa liberté

Denis Diderot, *Le Neveu de Rameau et autres dialogues,* Gallimard, « Folio » 1972, p. 292-293 et mourir ? Celui dont tu veux t'emparer comme de la brute, le Tahitien est ton frère. Vous êtes deux enfants de la nature ; quel droit as-tu sur lui qu'il n'ait pas sur toi ? Tu es venu ; nous sommes-nous jetés sur ta personne ? avons-nous pillé ton vaisseau ? t'avons-nous saisi et exposé aux flèches de nos ennemis ? t'avons-nous associé dans nos champs au travail de nos animaux ? Nous avons respecté notre image en toi. Laisse-nous nos mœurs ; elles sont plus sages et plus honnêtes que les tiennes ; nous ne voulons point troquer ce que tu appelles notre ignorance, contre tes inutiles lumières. Tout ce qui nous est nécessaire et bon, nous le possédons. Sommes-nous dignes de mépris, parce que nous n'avons pas su nous faire des besoins superflus ? Lorsque nous avons faim, nous avons de quoi manger ; lorsque nous avons froid, nous avons de quoi nous vêtir. Tu es entré dans nos cabanes, qu'y manque-t-il, à ton avis ? Poursuis jusqu'où tu voudras ce que tu appelles commodités de la vie ; mais permets à des êtres sensés de s'arrêter, lorsqu'ils n'auraient à obtenir, de la continuité de leurs pénibles efforts, que des biens imaginaires. Si tu nous persuades de franchir l'étroite limite du besoin, quand finirons-nous de travailler ? Quand jouirons-nous ? Nous avons rendu la somme de nos fatigues annuelles et journalières la moindre qu'il était possible, parce que rien ne nous paraît préférable au repos. Va dans ta contrée t'agiter, te tourmenter tant que tu voudras ; laisse-nous reposer : ne nous entête ni de tes besoins factices, ni de tes vertus chimériques. Regarde ces hommes ; vois comme ils sont droits, sains et robustes. Regarde ces femmes ; vois comme elles sont droites, saines, fraîches et belles. Prends cet arc, c'est le mien ; appelle à ton aide un, deux, trois, quatre de tes camarades, et tâchez de le tendre. Je le tends moi seul. Je laboure la terre ; je grimpe la montagne ; je perce la forêt ; je parcours une lieue de la plaine en moins d'une heure. Tes jeunes compagnons ont eu peine à me suivre ; et j'ai quatre-vingt-dix ans passés. Malheur à cette île ! malheur aux Tahitiens présents, et à tous les Tahitiens à venir, du jour où tu nous as visités !

Nº 11 MYTHE ET VARIANTES :
« LA FIN DE ROBINSON CRUSOÉ ».

Michel Tournier donne en 1978, dans *Le Coq de bruyère,* une variante réaliste et cruelle à la fin glorieuse de Robinson dans *Vendredi ou les Limbes du Pacifique* et dans *Vendredi ou la Vie sauvage.*

Comme dans « Images à Crusoé » de Saint-John Perse, Robinson a choisi de revenir en Angleterre mais la nostalgie finit par le briser comme elle détruit Vendredi qui décide de partir, bientôt suivi par Robinson (voir le développement du parallèle entre le texte de Saint-John Perse et celui de Tournier dans « Mythe et récriture », p. 51).

[...] et il était revenu, non sans avoir eu le temps de gagner une petite fortune grâce à des trafics divers assez faciles dans les Caraïbes de cette époque.

Tout le monde l'avait fêté. Il avait épousé une jeunesse qui aurait pu être sa fille, et la vie ordinaire avait apparemment recouvert cette parenthèse béante, incompréhensible, pleine de verdure luxuriante et de cris d'oiseaux, ouverte dans son passé par un caprice du destin.

Apparemment oui, car en vérité, d'année en année, un sourd ferment semblait ronger de l'intérieur la vie familiale de Robinson. Vendredi, le serviteur noir, avait succombé le premier. Après des mois de conduite irréprochable, il s'était mis à boire – discrètement d'abord, puis de façon de

Michel Tournier
Le Coq de Bruyère,
Gallimard, 1978
p. 22-24.

Pátek aneb Vítězství divočiny. Édition tchèque de *Vendredi*. Éditions Albatros, Prague.
Ph. Éditions Gallimard.

« Pensant à Vendredi, il se rapprochait machinalement des deux poivriers entre
lesquels le métis avait tendu le hamac où il passait ses nuits et une partie de ses
journées. »

Ph. © George Rodger/ Magnum.
« Ayant ligaturé trois baguettes de jonc... »

plus en plus tapageuse. Ensuite il y avait eu l'affaire des deux filles mères, recueillies par l'hospice du Saint-Esprit, et qui avaient donné naissance presque simultanément à des bébés métis d'une évidente ressemblance. Le double crime n'était-il pas signé ?

Mais Robinson avait défendu Vendredi avec un étrange acharnement. Pourquoi ne le renvoyait-il pas ? Quel secret – inavouable peut-être – le liait-il au nègre ?

Enfin des sommes importantes avaient été volées chez leur voisin, et avant même qu'on eût soupçonné qui que ce soit, Vendredi avait disparu.

– L'imbécile ! avait commenté Robinson. S'il voulait de l'argent pour partir, il n'avait qu'à m'en demander !

Et il avait ajouté imprudemment :

– D'ailleurs, je sais bien où il est parti !

La victime du vol s'était emparée du propos et avait exigé de Robinson ou qu'il remboursât l'argent, ou alors qu'il livrât le voleur ; Robinson, après une faible résistance, avait payé.

Mais depuis ce jour, on l'avait vu, de plus en plus sombre, traîner sur les quais ou dans les bouchons du port en répétant parfois :

– Il y est retourné, oui, j'en suis sûr, il y est ce voyou à cette heure !

Car il était vrai qu'un ineffable secret l'unissait à Vendredi, et ce secret, c'était une certaine petite tache verte qu'il avait fait ajouter dès son retour par un cartographe du port sur le bleu océan des Caraïbes. Cette île, après tout, c'était sa jeunesse, sa belle aventure, son splendide et solitaire jardin ! Qu'attendait-il sous ce ciel pluvieux, dans cette ville gluante, parmi ces négociants et ces retraités ?

Sa jeune femme, qui possédait l'intelligence du cœur, fut la première à deviner son étrange et mortel chagrin.

– Tu t'ennuies, je le vois bien. Allons, avoue que tu la regrettes !

– Moi ? Tu es folle ! Je regrette qui, quoi ?

– Ton île déserte, bien sûr ! Et je sais ce qui te retient de partir dès demain, je le sais, va ! C'est moi !

Il protestait à grands cris, mais plus il criait fort, plus elle était sûre d'avoir raison.

Elle l'aimait tendrement et n'avait jamais rien su lui refuser. Elle mourut. Aussitôt il vendit sa maison et son champ, et fréta un voilier pour les Caraïbes.

Des années passèrent encore. On recommença à l'oublier. Mais quand il revint de nouveau, il parut plus changé encore qu'après son premier voyage.

C'était comme aide-cuisinier à bord d'un vieux cargo qu'il avait fait la traversée. Un homme vieilli, brisé, à demi noyé dans l'alcool.

Ce qu'il dit souleva l'hilarité générale. In-trouvable ! Malgré des mois de recherche acharnée, son île était demeurée introuvable. Il s'était épuisé dans cette exploration vaine avec une rage désespérée, dépensant ses forces et son argent pour retrouver cette terre de bonheur et de liberté qui semblait engloutie à jamais.

– Et pourtant, elle était là ! répétait-il une fois de plus ce soir en frappant du doigt sur sa carte.

Alors un vieux timonier se détacha des autres et vint lui toucher l'épaule.

– Veux-tu que je te dise, Robinson ? Ton île déserte, bien sûr qu'elle est toujours là. Et même, je peux t'assurer que tu l'as bel et bien retrouvée !

– Retrouvée ? Robinson suffoquait. Mais puisque je te dis...

– Tu l'as retrouvée ! Tu es passé peut-être dix fois devant. Mais tu ne l'as pas reconnue.

– Pas reconnue ?

– Non, parce qu'elle a fait comme toi, ton île : elle a vieilli ! Eh oui, vois-tu, les fleurs deviennent fruits et les fruits deviennent bois, et le bois vert devient bois mort. Tout va très vite sous les tropiques. Et toi ? Regarde-toi dans une glace, idiot ! Et dis-moi si elle t'a reconnu, ton île, quand tu es passé devant ?

Robinson ne s'est pas regardé dans une glace, le conseil était superflu. Il a promené sur tous ces hommes un visage si triste et si hagard que la vague des rires qui repartait de plus belle s'est arrêtée net, et qu'un grand silence s'est fait dans le tripot.

D. INTERTEXTE

Nº 12 CHARLES DARWIN : *VOYAGE AUTOUR DU MONDE D'UN NATURALISTE.*

Dans un entretien avec Jean-Pierre Magnan, « Écrire pour les enfants », *La Quinzaine littéraire,* 1631, décembre 1971, Michel Tournier évoque la lecture qu'il fit du *Voyage autour du monde d'un naturaliste,* de Charles Darwin. Une lecture attentive de ce texte montre que l'évocation des principaux animaux décrits dans *Vendredi,* comme de certaines curiosités naturelles ou techniques de chasse, s'inspire très fidèlement du texte de Darwin. Il n'est pas jusqu'à la page décrivant la fécondation des orchidées par les insectes (*V.,* p. 120) qui ne semble inspirée d'un autre ouvrage de Darwin *De la fécondation des orchidées par les insectes.*

Sont soulignés dans le texte de Darwin les passages que Michel Tournier a repris plus ou moins textuellement.

Le diodon

Je m'amusai beaucoup un jour à étudier les habitudes d'un *Diodon antennatus* qu'on avait pris

Charles Darwin, *Voyage autour du monde d'un naturaliste,* éd. La Découverte, 1985, t. I, p. 18-19.

près de la côte. On sait que ce poisson, à la peau flasque, possède *la singulière faculté de se gonfler de façon à se transformer presque en une boule.* Si on le sort de l'eau pendant quelques instants, il absorbe, dès qu'on le remet à la mer, une quantité considérable d'eau et d'air par la bouche et peut-être aussi par les branchies. *Il absorbe cette eau et cet air* par deux moyens différents : il aspire fortement l'air qu'il repousse ensuite dans la cavité de son corps, et il l'empêche de ressortir au moyen d'une contraction musculaire visible à l'extérieur. L'eau, au contraire, entre de façon continue dans sa bouche qu'il tient ouverte et immobile ; cette inglutition de l'eau doit donc dépendre d'une succion. *La peau de l'abdomen est beaucoup plus flasque* que celle du dos, aussi, quand ce poisson se gonfle, le ventre se distend-il beaucoup plus à la surface inférieure qu'à la surface supérieure et, en conséquence, il flotte le dos *en bas.*

Le diodon possède plusieurs moyens de défense. Il peut faire une *terrible morsure* et rejeter l'eau par la bouche à une certaine distance, tout en faisant un bruit singulier en agitant ses *mâchoires.* En outre, le gonflement de son corps fait redresser *les papilles qui couvrent sa peau et qui se transforment alors en pointes acérées.* Mais la circonstance la plus curieuse est que la peau de son ventre sécrète, quand on vient à la toucher, *une matière fibreuse d'un rouge-carmin admirable* qui tache le papier et l'ivoire d'une façon si permanente, que des taches que j'ai obtenues de cette manière sont encore tout aussi brillantes qu'au premier jour. J'ignore absolument quelle peut être la nature ou l'usage de cette sécrétion.

Les vautours

Ces faux aigles attaquent très-rarement un animal ou un oiseau vivant ; quiconque a eu occasion de

Ibid., t. I, p. 63-64.

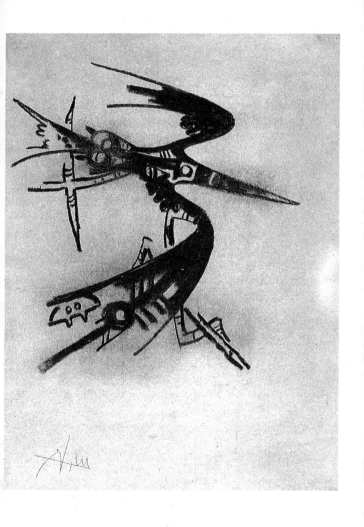

Wilfredo Lam : *Le Vévé vivant*. Courtesy Galerie Artcurial. Paris. Ph. de la Galerie ©
S.P.A.D.E.M., 1991.
« Du côté du rivage, un grand oiseau de couleur vieil or, de forme losangée, se
balançait fantasquement dans le ciel. »

passer la nuit, couché dans sa couverture, dans les plaines désolées de la Patagonie et qui, quand il ouvre les yeux le matin, se voit entouré à distance de ces oiseaux *qui le surveillent,* comprend immédiatement les habitudes de vautour de ces mangeurs de charogne ; c'est là d'ailleurs un des caractères de ces pays qu'on n'oublie pas facilement et que reconnaîtra quiconque les a parcourus. Si une troupe d'hommes part pour la chasse, accompagnée de chevaux et de chiens, plusieurs de ces oiseaux *les accompagnent toute la journée.*

Les bolas

Il y a deux espèces de bolas ou balles ; les plus simples, employées pour chasser les autruches, consistent en deux pierres rondes, recouvertes de cuir et réunies par une mince corde tressée ayant environ 8 pieds de long. L'autre espèce diffère seulement de celle-là en ce qu'elle comporte trois balles réunies par des cordes à un centre commun. Le Gaucho tient dans la main la plus petite des trois boules et fait tournoyer les deux autres autour de sa tête ; puis, après avoir visé, il les lance et les *bolas* s'en vont à travers l'espace, tournant sur elles-mêmes comme des boulets ramés. Dès que les boules frappent un objet quel qu'il soit, elles s'enroulent autour de lui en se croisant et en se nouant fortement.

Ibid., t. I, p. 51.

Les cavaliers les plus avancés surprirent une autruche mâle qui essaya de s'échapper d'un côté ; les Gauchos poursuivirent l'autruche de toute la vitesse de leurs chevaux, chacun d'eux faisant tourner les terribles bolas autour de sa tête. Celui enfin qui était le plus proche de l'oiseau les lança avec une vigueur extraordinaire ; elles allèrent s'enrouler autour des pattes

Ibid., t. I, p. 124.

de l'autruche, qui tomba impuissante sur le sol (t. I, p. 124).

Lucianio lança ses bolas, elles vinrent s'enrouler   *Ibid.,* t. I, p. 123.
autour des jambes du fugitif avec une telle force,
qu'il tomba évanoui. Quand Luciano eut achevé
ce qu'il avait à lui dire, on permit au jeune homme
de s'embarquer. Il nous dit que ses jambes
portaient de grandes meurtrissures là où la corde
s'était enroulée, comme s'il avait subi le supplice
du fouet.

Le cheucau

On trouve dans toutes les parties de Chiloé et des   *Ibid.,* t. II, p. 68.
Chonos deux oiseaux fort étranges, alliés au Turco
et au Tapacolo du Chili central, et qui les remplacent
dans ces îles. Les habitants appellent un de ces
oiseaux le *Cheucau (Pteroptochos rubecula) ;* il
fréquente les endroits les plus sombres et les plus
retirés des forêts humides. *Quelquefois on entend*
le cri du cheucau à deux pas de soi ; mais quelles
que soient les recherches auxquelles on puisse se
livrer, *on n'aperçoit pas l'oiseau ;* d'autres fois, il
suffit de rester immobile pendant quelques instants
et le cheucau s'avance à la distance de quelques
pieds de vous de la façon la plus familière. Puis
il s'en va la queue relevée, sautillant au milieu de
la masse de troncs pourris et de branchages.
Les cris variés et étranges du cheucau inspirent
une *crainte superstitieuse* aux habitants de
Chiloé. *Cet oiseau pousse trois cris bien distincts ;*
on appelle l'un le *chiduco,* c'est un *présage*
de bonheur ; un autre, le *huitreu,* c'est un *très*
mauvais présage ; j'ai oublié le nom du troisième.
Ces mots imitent le son produit par l'oiseau et,
dans certaines circonstances, les habitants de
Chiloé se laissent absolument conduire par ces
présages.

El Bramador

Pendant mon séjour dans la ville, plusieurs habitants me parlent d'une *colline* du voisinage qu'ils appellent *El Bramador – la colline qui mugit.* À cette époque, je fis peu attention à ce qu'on me raconta ; mais, autant que j'ai pu le comprendre, *la colline* en question *était recouverte de sable et le bruit ne se produisait que lorsque, en montant sur la colline, on mettait le sable en mouvement.*

Ibid., t. II, p. 146.

En fait d'animaux indigènes, on trouve une quantité considérable de rats et de crabes terrestres. *On peut douter que le rat soit réellement indigène ;* M. Waterhouse en a décrit deux variétés : *l'une noire,* ayant une belle fourrure brillante, vit sur le plateau central ; *l'autre, brune,* moins brillante, ayant des poils plus longs, habite le village près de la côte. Ces deux variétés sont un tiers plus petites que le rat noir commun *(Mus Ratus) ;* elles diffèrent, en outre, du rat commun et par la couleur et par le caractère de leur fourrure, mais il n'y a pas d'autre différence essentielle. Je suis disposé à croire que ces rats, comme la souris ordinaire, qui est aussi devenue sauvage, ont été importés.

Ibid., t. II, p. 283.

Les crabes

J'ai déjà fait allusion *à un crabe qui se nourrit de noix de coco ;* il est fort commun dans toutes les parties de la terre sèche, et il atteint une grosseur monstrueuse ; il est très-proche parent du *Birgus latro,* ou même identique avec lui. La première paire de pattes de ce crabe se termine par des pinces extrêmement fortes et extrêmement pesantes ; la dernière paire porte des pinces plus faibles et beaucoup plus effilées. *Il semble tout*

Ibid., t. II, p. 252-253.

d'abord impossible qu'un crabe puisse ouvrir une grosse noix de coco couverte de son écorce ; mais M. Liesk m'affirme le fait. Le crabe déchire d'abord l'écorce fibre par fibre, en commençant par l'extrémité où se trouvent les trois ouvertures de la noix ; quand il a enlevé toutes les fibres, il se sert de ses grosses pinces comme d'un marteau et frappe sur les ouvertures jusqu'à ce qu'il les ait brisées. Il se retourne alors et, à l'aide de ses pinces effilées, il extrait la substance blanche albumineuse qui se trouve à l'intérieur de la noix. C'est là un exemple d'instinct très-curieux : c'est aussi un exemple d'une adaptation de conformation entre deux objets aussi éloignés l'un de l'autre dans le plan général de la nature, qu'*un crabe et un cocotier. Quelques voyageurs ajoutent que les Birgues grimpent aux cocotiers pour cueillir les noix ;* j'avoue que je doute beaucoup qu'ils puissent le faire. M. Liesk m'a affirmé que, sur ces îles, les Birgues se nourrissent uniquement des noix tombées sur le sol.

N° 13 THÈMES CHERS AU ROMANTISME ALLEMAND : LA HARPE ÉOLIENNE.

Un des passages les plus étonnants de *Vendredi ou les Limbes du Pacifique* est la confection d'une harpe éolienne par Vendredi qui utilise pour cela les cornes d'Andoar « annelées en forme de lyre ». Les boyaux taillés en fines lanières forment les cordes (*V.,* p. 207). Vendredi installe la harpe ainsi façonnée dans un cyprès mort et l'instrument livré aux assauts de la tempête émet une musique élémentaire qui évoque à la fois « la voix ténébreuse de la terre, l'harmonie des sphères célestes et la plainte rauque du grand bouc sacrifié » (*V.,* p. 209).

Ce texte fantastique s'inspire d'une réalité

courante en Allemagne et en Angleterre, au temps du romantisme.

La harpe éolienne est un instrument étrange cher au romantisme allemand dont il a fortement contribué à former la sensibilité. Marcel Brion évoque à plusieurs reprises la harpe éolienne dans son livre : *Les Romantiques allemands* [1] : « Dans les années de transition entre le XVIIIe et le XIXe siècle, la harpe éolienne était d'un usage courant et l'on ne concevait pas plus un parc « romantique » sans harpe atmosphérique que sans ermitage, pavillon chinois, fausse ruine et pont des philosophes. »

Cette harpe à vent ou luth céleste comme l'appellent les Allemands connaît une grande vogue en Allemagne et en Grande-Bretagne à l'époque préromantique. Deux harpes ont figuré à l'exposition française de 1855. Mais l'instrument reste en France un objet de curiosité, pour orner les jardins. En Allemagne, beaucoup de facteurs d'instruments de musique en fabriquaient de toutes formes et de toutes dimensions. On en trouvait dans le château de Baden-Baden, aux quatre tourelles de la cathédrale de Strasbourg. En Alsace et en Allemagne, leurs sons plaintifs s'accordaient bien au mystère des vieux châteaux féodaux en ruine. Dans quelques villages prussiens, de simples paysans, même, en fabriquaient à leur usage au moyen de fils d'archab tendus horizontalement au-dessus de la porte d'entrée de leur habitation [2]. La harpe éolienne connaît aussi une grande fortune littéraire. Dans *Les Considérations sur la vie du chat Murr* [3] entremêlées de la biographie fragmentaire du maître de chapelle Jean Kreisler, Hoffmann évoque une harpe éolienne gigantesque tendue dans le parc de Sieghartsweiler par le maître Abraham et qui, par une nuit d'orage, fait entendre une terrible symphonie : « La tempête joua en habile

Cahiers de recherches sur l'imaginaire, XVII, p. 163-178, université d'Angers, sept.-oct. 1987.

1. Marcel Brion, *Les Romantiques allemands*, Albin Michel, 1963, t. II, p. 157.

2. Jean-Georges Kastner : *La Harpe d'Éole et la musique cosmique*, Paris, 1856, G. Brandus.

3. E.T.A. Hoffmann, *Les Contemplations du chat Murr*, Contes fantastiques, t. III, traduction de Loève, Veimars, Garnier-Flammarion, 1982, p. 69.

musicienne. Les accords de cet orgue gigantesque se mêlèrent aux hurlements de l'ouragan et aux mugissements du tonnerre. Ces sons terribles se succédaient avec une rapidité toujours croissante et donnaient l'idée d'un ballet de furies, mais d'un caractère plus sublime que jamais on n'entendit rien de pareil entre les toits d'un théâtre. »

Les harpes éoliennes sont encore évoquées dans un autre conte d'Hoffmann : *Petit Zacharie, le Cinabre* [1] où elles annoncent la villa du puissant magicien Prosper Albanus.

C'est au Père Kircher, savant jésuite allemand du XVIIᵉ siècle, qu'on attribue la construction en Italie et l'étude systématique du premier spécimen de harpe éolienne. Cet instrument à cordes qui résonnent sous l'action du vent, sans aucune intervention manuelle, se rattache, d'un point de vue organologique, à la famille des cithares et non à celle de la harpe [2]. Se souvenant du psaltérion ou Hackbrett des Allemands du XVᵉ et du XVIᵉ siècle, le Père Kircher tendit des cordes de boyau sur la table d'harmonie d'une caisse rectangulaire, en bois de sapin léger, percée de trous. Pour diriger toute la force du courant d'air sur les cordes, il joignit deux battants à son appareil. La harpe éolienne à ailes était trouvée. Les cinq cordes de boyau sont accordées non à la tierce ou à la quarte, comme les autres instruments, mais toutes à l'unisson ou à l'octave.

Nº 14 THÈMES CHERS AU ROMANTISME ALLEMAND : LA MANDRAGORE.

Dans ce roman mythologique, l'île de Speranza joue le rôle d'une personne : Robinson la considère comme sa mère, puis son amante ; il en fait bientôt son épouse. Elle donne à Robinson des filles, les

1. E.T.A. Hoffmann, *Petit Zacharie,* Aubier-Montaigne, Paris, p. 189.

2. Encyclopédie Fasquelle, Article Harpe.

ATHANASII KIRCHERI
FVLDENSIS E SOC. IESV PRESBYTERI

MVSVRGIA
VNIVERSALIS
SIVE
ARS MAGNA
CONSONI ET DISSONI
IN X. LIBROS DIGESTA.

Quà Vniuersa Sonorum doctrina, & Philosophia, Musicæque tam Theoricæ, quam practicæ scientia, summa varietate traditur; admirandæ Consoni, & Dissoni in mundo, adeòque Vniuersà Naturà vires effectusque, vti noua, ita peregrina variorum speciminum exhibitione ad singulares vsus, tum in omnipoenè facultate, tum potissimùm in Philologià, Mathematicà, Physicà, Mechanicà, Medicinà, Politicà, Metaphysicà, Theologià, aperiuntur & demonstrantur,

Tomus I,

Pulsare certant plectra
Cicada, fractam
Factum Eunomij &

Victori repens
voce suppleuit fidem
Aristonis ex gemma Veterum

ROMAE, Ex Typographia Hæredum Francisci Corbelletti. Anno Iubilæi. MDCL.

SVPERIORVM PERMISSV.

Frontispice de *Musurgia universalis sive ars magna consoni et dissoni* d'Athanasii Kircheri. Bibliothèque nationale, Paris. Ph. © Bibl. Nat.
« La harpe éolienne. Toujours enfermé dans l'instant présent, absolument réfractaire aux patientes élaborations qui procèdent par agencement de pièces successives,

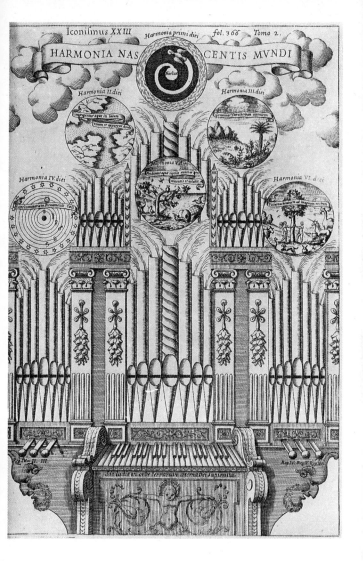

Vendredi avec une intuition infaillible a trouvé le seul instrument de musique qui répondît à sa nature. »

« Car il ne s'agissait pas d'une lyre ou d'une cithare dont il aurait lui-même pincé, mais d'un instrument *élémentaire,* d'une harpe éolienne... »

mandragores. Cette plante auréolée de tous les prestiges du fantastique est pourtant bien réelle et a, depuis les temps les plus reculés, attiré l'attention des hommes par ses propriétés surprenantes comme le montre cet article du *Dictionnaire des mythes littéraires* ; elle est aussi à l'origine de légendes auxquelles les romantiques allemands ont redonné toute leur vitalité.

I. *Les données de la botanique*

Connue depuis les temps les plus reculés, la mandragore a attiré l'attention des hommes par ses particularités : la forme de sa racine, allongée (jusqu'à cinquante à soixante centimètres), à l'aspect charnu, blanc et bifurqué qui rappelle vaguement le tronc et les jambes d'un corps humain. Aussi la racine anthropomorphe a-t-elle été considérée comme une sorte d'embryon incomplet que des pratiques magiques pourraient amener à la vie.

Comme la belladone et la jusquiame, solanacées vireuses, la mandragore renferme des alcaloïdes. Ses aspects sédatifs étaient connus des hippocratiques. Au XVIIIe siècle, elle était utilisée comme analgésique. On l'employait pour produire l'anesthésie dans les opérations. On lui prêtait des vertus aphrodisiaques. Inscrite au catalogue des simples, elle pouvait donc soulager, voire guérir certains maux ou exciter la vitalité.

II. *Ambivalence de la plante aux propriétés magiques, divines ou sataniques, et ses origines mythiques*

Appelée chez les Grecs la plante de Circé, la magicienne, la mandragore, malgré ses vertus salutaires, inspire une crainte révérencieuse. Pline observe :

« Mandragore », *Dictionnaire des mythes littéraires*, éditions du Rocher, 1988.

« Ceux qui cueillent la mandragore prennent garde à ne pas avoir le vent en face. Ils décrivent trois cercles autour d'elle avec une épée, puis ils l'enlèvent de terre en tournant du côté du couchant... La racine de cette plante, broyée avec de l'huile rosat et du vin, guérit les inflammations et les douleurs des yeux [1]. »

Cette cueillette rituelle, qui s'effectue dans les conditions de pureté cérémonielle supposant certains dangers, montre que la plante est divine. Il ne s'agit pas seulement de cueillir une espèce botanique mais d'obtenir une substance saturée de sacré, variante de l'herbe de vie éternelle. La valeur magique et pharmaceutique de la plante est due à sa participation à un archétype qui l'isole de l'espace profane. La mandragore partagerait avec les simples le privilège d'avoir été découverte « à un moment cosmique décisif sur le mont Calvaire [2] » où elle aurait guéri les blessures du Christ. Celui qui les cueille répète ainsi un geste primordial de guérison.

Le mythe de la mandragore s'inscrit dans la lignée des mythes qui évoquent la naissance tellurique des êtres humains à l'origine des temps. La mandragore serait la survivance de la croyance en « la créature humaine autochtone (au sens étymologique du mot) issue du germe déposé par une pluie divine [...] dans une petite matrice tellurique [3] », écho affaibli des grandes hiérogamies cosmiques.

Ainsi Lucrèce dans *De la Nature* montre comment « la jeune terre commença par produire les herbes et les arbrisseaux et ne créa qu'ensuite les êtres vivants, mais en grand nombre et de diverses espèces. [...] Des matrices croissaient, enracinées dans le sol et le terme venu, l'âge libérait les nouveau-nés fuyant l'humidité et aspirant à l'air libre : la nature alors dirigeait vers eux les pores de la terre qu'elle obligeait à leur verser un suc semblable au lait [4]. »

1. Pline (23-79 ap. J.-C.), *Histoires naturelles,* Livre XXV, 148, éd. Belles Lettres, p. 80.

2. Mircea Eliade, *Traité d'histoire des religions,* Payothèque, 1974, p. 253.

3. Albert-Marie Schmidt, *La Mandragore,* éd. Flammarion, 1958, p. 47.

4. Lucrèce (95-51 av. J.-C.), *De la Nature,* traduction H. Clouard, Livre V, éd. Garnier Flammarion, 1964, p. 177.

Lucien ne manqua pas de se moquer de « ces premiers hommes poussés du sol de l'Attique comme des légumes [1] ». Pausanias (VII, 17) et Arnobius (*Adversus natione* V, 5) racontent comment Zeus laissa tomber sa semence sur la terre lorsqu'il voulut éteindre la Magna Mater, ce qui aurait donné naissance à Agdistis, un être hermaphrodite [2]. Dans *Les Métamorphoses*, Ovide poursuit ce vieux rêve de l'humanité lorsqu'il évoque l'apparition de Tagès :

« Le laboureur tyrrhénien [...] vit au milieu de son champ la motte de terre désignée par le destin se mouvoir d'elle-même [...] puis échanger sa forme contre celle d'un homme et ouvrir sa bouche toute nouvelle pour annoncer l'avenir [3]. »

Il évoque encore Erichthonius, « enfant né sans mère [4] ». En fait, comme son nom l'indique, Erichthonius est né de la terre qui lui servit de mère, Athéna s'étant dérobée au désir d'Héphaïstos dont le sperme se répandit sur la terre.

L'Adam des kabbalistes, selon Barthélemy d'Herbelot, donna naissance à la première mandragore, être hybride, parent de Tagès, d'Erichthonius et d'Agdistis. Après qu'Adam eut été chassé du jardin d'Eden, Dieu, pour le punir, « ne permit pas qu'il rencontrât... Ève, laquelle il chérissait fort tendrement. S'étant endormi et ayant le visage (de cette dernière) fortement imprimé dans son imagination, il crut l'embrasser. Cette image amoureuse causa en lui le même effet que la véritable possession aurait pu produire de sorte que la semence féconde de ce premier père des hommes étant tombée en terre, il s'en forma une plante qui prit la figure humaine [5] ».

Plus souvent, c'est le sang d'un dieu ou d'un géant primordial, mort de mort violente, qui provoque l'apparition de plantes analogues à la mandragore. Mircea Eliade cite le mythe de Gajomard, l'homme primordial iranien, que l'on peut

1. Lucien (130-200 ap. J.-C.), *Œuvres complètes,* traduction Chambry, t. III, Paris, p. 86.

2. Cité par Mircea Eliade dans « La Mandragore et les mythes de la naissance miraculeuse », in *Zalmoxis,* 1940, p. 46 (notes).

3. Ovide (43 av.-18 ap. J.-C.), *Les Métamorphoses,* Livre XV, v. 555 *sq.,* traduction Georges Lafaye, éd. Belles Lettres, t. III, p. 139.

4. *Ibid.,* livre II, v. 553 *sq.,* t. I, p. 56.

5. Barthélemy d'Herbelot (1625-1695), *Bibliothèque orientale,* La Haye, 1777, t. I, p. 480.

assimiler à Adam. Lorsque les esprits du mal le mirent à mort, « une goutte de sperme sortit de ses reins et pénétra dans la terre pendant quarante années » avant de donner naissance « à une plante qui à son tour, se transforme en couple humain [1] ».

Le Christ sur la croix serait l'héritier de ces mythes, ce qui expliquerait le lien des plantes médicinales avec le calvaire. Mais la pudeur chrétienne, ne pouvant accepter une conclusion aussi indécente à la passion du Sauveur, la transpose.

Le pendu du Moyen Âge dont les dernières gouttes de liqueur séminale donnent naissance à la mandragore – l'homoncule du gibet comme l'appellent les Allemands – selon la légende, connue déjà par Avicenne (1037), serait ainsi le succédané du Christ supplicié qui, comme lui, est « pendu au bois [2] ». Cela expliquerait que le pendu soit innocent et porte les péchés d'une race maudite dans le livre de Arnim : *Isabelle d'Égypte*. Certains savants en fait de mandragore vont jusqu'à affirmer que l'eau évacuée par le condamné est l'eau baptismale qui lave le péché [3]. Albert-Marie Schmidt écrit :

« Éclairée par une étrange lumière gnostique, la mandragore peut donc être tenue pour [...] une reconstitution de l'Adam originel, une somme de tous les principes de santé et de sérénité qui florissaient dans l'Éden... Elle est perpétuellement antérieure à la distinction du bien et du mal. Aussi n'est-il pas inepte de la considérer également comme le développement d'une motte plastique, prélevée sur la sainte réserve d'argile d'où Dieu tira de quoi modeler Adam [4]. »

Gardant l'énergie de la nature à ses origines, la mandragore peut guérir, assurer la fécondité dont elle témoigne puisqu'elle est capable de gommer la barrière qui sépare les règnes humain et végétal. Mais sa puissance peut être mise au service du

1. Mircea Eliade, « La Mandragore et les mythes de la naissance miraculeuse », in *Zalmoxis*, 1940-1942, t. III, p. 21.

2. Les Actes des Apôtres, c. 5, v. 30.

3. Alfred Schlosser, *Die Sage von Galgenmännlein*, Muenster, 1912, cité par Albert-Marie Schmidt, *La Mandragore*, p. 51.

4. Albert-Marie Schmidt, *La Mandragore*, p. 52.

mal. Et de précieux talisman, capable de réaliser tous les désirs de son possesseur comme dans le conte de La Motte-Fouqué, la mandragore, cette *imago dei,* peut devenir l'instrument du démon tentateur, ce qui expliquerait son aspect ambigu et démoniaque, envers de ses pouvoirs salvateurs. Il faut que celui qui la possède la vende avant sa mort moins cher qu'il ne l'a achetée, sinon son âme sera la proie du diable, nous dit La Motte Fouqué [1].

1. Frédéric de La Motte Fouqué, *La Mandragore, Romantiques allemands,* Gallimard « Bibliothèque de la Pléiade », t. I p. 1439-1466.

Nº 15 TOURNIER ET NIETZSCHE : L'IMPORTANCE DU MYTHE.

Nietzsche montre dans *La Naissance de la tragédie* le bouleversement qu'implique la destruction du mythe dans la civilisation moderne.

L'œuvre de Michel Tournier où le mythe retrouve toute sa vigueur créatrice semble répondre à ce texte qui déplore « la perte de la patrie mythique » **et décrit l'homme moderne, comme un** « éternel affamé ».

Pour qui veut sérieusement se mettre à l'épreuve, par lui-même, pour savoir s'il s'apparente à l'auditeur artiste ou s'il appartient à la foule des hommes socratico-critiques, il suffit de s'interroger honnêtement sur l'impression que lui fait la représentation du *miracle* sur la scène : est-ce que cela froisse d'une manière ou d'une autre son sens historique soumis à une stricte causalité psychologique ? Ou bien est-ce par quelque indulgente concession qu'il admet le miracle, un peu comme un phénomène particulier à l'enfance, mais qui lui serait devenu étranger ? Ou bien éprouve-t-il autre chose ? Car c'est bel et bien à cela que se mesurera son aptitude à comprendre le *mythe,* cette image en raccourci du monde qui, étant l'abréviation de la part phénoménale du

Nietzsche, *Ainsi parlait Zarathoustra,* « Folio ».

monde, ne peut pas se passer du miracle. Mais il est vraisemblable qu'une telle mise à l'épreuve, rigoureusement conduite, montrerait que nous sommes tous à ce point entamés par l'esprit historico-critique qui domine notre civilisation, que c'est à peine si à grands renforts d'érudition et de méditations abstraites, nous parvenons à croire plus ou moins à l'existence passée du mythe. Faute de mythe, pourtant, toute civilisation perd la saine vigueur créatrice qui est sa force naturelle : car seul un horizon circonscrit par le mythe peut assurer la clôture et l'unité d'une civilisation en mouvement. Il n'y a que le mythe qui puisse sauver toutes les forces de l'imagination et du rêve apollinien de leur errance sans but. Il faut que les images du mythe soient les esprits démoniques, les gardiens invisibles mais partout présents sous la protection desquels grandit la jeune âme et dont les signes qu'ils dispensent donnent son sens à la vie de l'homme et à ses luttes. L'État lui-même ne connaît pas de loi non écrite plus puissante que le fondement mythique qui garantit son lien organique à la religion et sanctionne la représentation mythique qu'il se donne de ses origines.

Qu'on pose alors, en regard, l'homme abstrait privé de mythes conducteurs, l'éducation abstraite, le droit abstrait, l'État abstrait ; qu'on se représente la divagation déréglée de l'imagination artistique que ne bride aucun mythe autochtone ; qu'on imagine une civilisation sans foyer originel ferme et sacré, condamnée à épuiser tous les possibles et à se nourrir chichement de toutes les civilisations — voilà ce qu'est le présent, tel est le résultat du socratisme destructeur des mythes. Et maintenant l'homme dépossédé du mythe, cet éternel affamé, le voilà au croisement de tous les passés qui creuse et fouille en quête de racines, dût-il aller les déterrer dans les plus lointaines antiquités. Que prouve l'immense appétit d'histoire qui tenaille, dans son insatisfaction, notre civilisation moderne, que prouve ce besoin de rassembler autour d'elle des civilisations sans nombre, et ce besoin de tout connaître, si ce n'est la perte du mythe, la perte de la patrie mythique, du sein maternel mythique ? Qu'on se pose la question : l'inquiétante et fébrile agitation de cette civilisation est-elle autre chose que le geste avide de l'affamé qui se précipite sur la nourriture ?

N° 16 TOURNIER ET NIETZSCHE : LA RÉHABILITATION DU RIRE

Le rire fut longtemps l'objet d'une vive condamnation de la part de l'église (voir par exemple ce qu'en dit Umberto Eco dans *Le Nom de la Rose*) Nietzsche dans *Ainsi parlait Zarathoustra* célèbre au contraire le rire et la danse. « J'ai canonisé le rire ; hommes supérieurs, apprenez donc à rire. »

Michel Tournier s'inspire de Nietzsche quand il fait l'éloge de Vendredi, l'homme du rire et de la danse (voir : « Le Retour de Dionysos » où ce thème est développé, pp. 59-64).

Si vertu de danseur est ma vertu, et que souvent, de mes deux pieds, dans une extase d'or et d'émeraude j'aie bondi ;

Si riante malice est ma malice, à l'aise sous des tonnelles de roses et des haies de lilas ;

— car dans le rire ensemble se mélange tout mal, mais par sa propre béatitude absous et sanctifié ; —

Et si j'ai pour alpha et oméga que se fasse léger tout ce qui est pesant, danseur tout corps, oiseau tout esprit, et tel est bien, en vérité, mon alpha et mon oméga ! —

Nietzsche, *Ainsi parlait Zarathoustra*, « Folio ».

Oh ! comment de l'éternité n'aurais-je concupiscence, et du nuptial anneau des anneaux, – de l'anneau du retour ?

Jamais encore je ne trouvai la femme de qui voulusse enfants, sinon de cette femme que j'aime ; car je t'aime, ô Éternité !

Car je t'aime, ô Éternité !

« Les sept sceaux », 6, p. 284.

Haut les cœurs, mes frères ! Haut, toujours plus haut ! Et ne m'oubliez non plus les jambes ! Haut les jambes aussi, ô vous qui dansez bien, et, mieux encore, vous tenez debout, même sur la tête !

« De l'homme supérieur », 17, p. 355.

Cette couronne du rieur, cette couronne de roses, moi-même je l'ai ceinte, moi-même ai sanctifié mon éclat de rire. Parmi les autres je n'ai trouvé pour cela aujourd'hui personne d'assez robuste.

Zarathoustra le danseur, Zarathoustra le léger, qui des ailes fait signe, quelqu'un qui sait l'art de voler, qui à tous les oiseaux fait signe, prêt et dispos, béatement espiègle : –

Zarathoustra le vrai-disant, Zarathoustra le vrai-dansant, le non-impatient, le non-inconditionnel, quelqu'un qui aime sauts et entrechats ; moi-même sur ma tête ai mis cette couronne !

« De l'homme supérieur », 18, p. 356.

Louange à cet esprit de tous les libres esprits, la rieuse tempête qui à tous les broyeurs de noir, à tous les purulents, souffle sa poussière dans les yeux !

Ô vous, les hommes supérieurs, votre plus vilain est qu'à danser comme il se doit aucun de vous n'apprit, – au-dessus et au-delà de vous-mêmes à danser ! Qu'importe votre échec !

Comme beaucoup encore reste possible ! À rire au-dessus et au-delà de vous-mêmes *apprenez* donc encore ! Haut les cœurs, ô vous qui dansez bien ! Haut, toujours plus haut ! Et ne m'oubliez non plus de bien rire !

« De l'homme supérieur », 20, p. 357.

Jordaens : *Bacchanale*. Musée des Beaux-Arts, Arras. Ph. © Bulloz.
« ... Je tâtonne à la recherche de moi-même dans une forêt d'allégories. »

Cette couronne du rieur, cette couronne de roses, à vous mes frères, je lance cette couronne ! J'ai sanctifié le rire ! ô vous, les hommes supérieurs, *apprenez* donc – à rire !

Je ne croirais qu'en un dieu qui à danser s'entendît !

Et quand je vis mon diable, lors le trouvai sérieux, appliqué, profond, solennel : c'était l'esprit de pesanteur – par qui tombent toutes choses.

Ce n'est pas ire, c'est par rire qu'on tue. Courage ! Tuons cet esprit de pesanteur !

J'ai appris à marcher : de moi-même, depuis, je cours. J'ai appris à voler ; pour avancer, depuis, plus ne veux qu'on me pousse !

Maintenant je suis léger, maintenant je vole, maintenant me vois au-dessous de moi ; par moi c'est maintenant un dieu qui danse.

Ainsi parlait Zarathoustra.

« Du lire et de l'écrire », p. 55-56.

N° 17 TOURNIER ET NIETZSCHE : LE COMIQUE ET LE COSMIQUE

Michel Tournier se réfère aux écrivains allemands Thomas Mann et surtout Nietzsche quand il définit l'« humour blanc » qui associe le comique et le cosmique.

Ce comique particulier possède une dimension plus proprement métaphysique.

Il y a, me semble-t-il, un humour d'un troisième genre que j'appellerai pour rester dans la gamme des couleurs, l'*humour blanc* et qui possède une autre dimension, plus proprement métaphysique ou cosmique.

Le cosmique et le comique. Ces deux mots qui paraissent faits pour être rapprochés se repoussent presque toujours en réalité. C'est encore une fois que le comique tel qu'il apparaît

Michel Tournier, *Le Vent Paraclet*, Gallimard, 1977, p. 198-199.

habituellement est un phénomène social, un jeu dont la piste habituelle est le salon, un milieu plat, superficiel, aussi étendu qu'il se peut. Le succès du comique se mesure en effet à sa propagation horizontale. Il y a des « mots » qui font tout Paris, toute la France, toute l'Europe, le tour du monde. On se trouve là aux antipodes du cosmique, intuition verticale qui plonge jusqu'aux fondements du monde et s'élève jusqu'aux étoiles. Pour prendre des exemples classiques, Voltaire et Talleyrand étaient des esprits comiques, Rousseau et Chateaubriand des esprits cosmiques. Et ils s'opposaient comme l'eau et le feu.

Mais il y a un comique cosmique : celui qui accompagne l'émergence de l'absolu au milieu du tissu de relativités où nous vivons. C'est le rire de Dieu. Car nous nous dissimulons le néant qui nous entoure, mais il perce parfois la toile peinte de notre vie, comme un récif la surface des eaux. À la peur animale des dangers de toute sorte qui nous menacent, l'homme ajoute l'angoisse de l'absolu embusqué partout, minant tout ce qui se dit, tout ce qui se fait, frappant toute chose existante de dérision. Tout est fait pour que le rire blanc n'éclate pas. La grandiloquente abjection d'un Napoléon ou d'un Hitler — ce tumulte de proclamations, de trompes, de canonnades et d'écroulements, — n'ajoute ni ne retranche rien à la tragique condition humaine, cette brève émergence entre deux vides. Le rire blanc dénonce l'aspect transitoire, relatif, d'avance condamné à disparaître de tout l'humain. L'Ecclésiaste s'il avait su rire aurait ri blanc, mais il ne pouvait rire. Bossuet a écrit : « Le sage ne rit qu'en tremblant. » Mot d'autant plus remarquable que l'Aigle de Meaux tel que nous l'imaginons ne devait ni rire, ni trembler.

L'homme qui rit blanc vient d'entrevoir l'abîme entre les mailles desserrées des choses. Il sait tout à coup que rien n'a aucune importance. Il est la proie de l'angoisse mais se sent délivré par cela même de toute peur. Nombreux sont ceux qui vivent et meurent sans avoir jamais éclaté de ce rire-là. Certes ils savent confusément que le néant est aux deux bouts de l'existence, mais ils sont convaincus que la vie bat son plein, et que, pendant ces quelques années, la terre ne trahira pas leurs pieds. Ils se veulent dupes de la cohérence, de la fermeté, de la consistance dont la société pare le réel. Ils sont souvent hommes de science, de religion ou de politique, domaines où le rire blanc n'a pas sa place. Ils sont en vérité presque tous les hommes. Lorsque les lattes disjointes de la passerelle où chemine l'humanité s'entrouvrent sur le vide sans fond, la plupart des hommes ne voient rien, mais certains autres voient le rien. Ceux-ci regardent sans trembler à leurs pieds et chantent gaiement que le roi est nu. Le rire blanc est leur cri de ralliement.

Les écrivains qui unissent comique et cosmique se comptent sur les doigts d'une seule main. En tête d'entre eux, il faudrait citer Nietzsche.

E. LES LECTEURS DE *VENDREDI OU LES LIMBES DU PACIFIQUE*

Nº 18 RAYMOND QUENEAU

Raymond Queneau, membre du comité de lecture de Gallimard, fut le premier lecteur de Michel Tournier. Voici les termes de son rapport ainsi que l'appréciation de Michel Tournier.

Un « remake » de Robinson Crusoé par quelqu'un qui a lu Freud, Sartre et Lévi-Strauss. La ligne générale est celle de Defoe, mais il y a des variantes dans un esprit « moderne » et parfois, me semble-t-il, inspirées par le film de Buñuel.

in *Sud,* nº 61, 1986.

Robinson, par exemple, est amoureux de son île et lui fait des enfants-mandragores. Ses rapports avec Vendredi sont des plus complexes, oscillant entre l'attitude colonialiste et l'attention de l'ethnologue. D'ailleurs à la fin, lorsque les marins du bateau anglais débarqueront, Vendredi partira avec eux, tandis que Robinson restera sur son île avec un mousse qui a déserté et qu'il nommera Jeudi.

Ce compte rendu ne peut donner qu'une faible idée de la richesse d'idées et d'inventions de ce récit, richesse, il faut bien le dire, parfois assez sophistiquée et même frelatée. On est souvent tenté de n'y voir qu'un jeu d'esprit, une sorte d'acrobatie littéraire, mais on est toujours pris par l'intérêt du récit – pris et surpris. Le vocabulaire est riche ; la langue se veut classique (il y a quelques clichés du genre « obscurs pressentiments », « regard pétillant de malice » – et un barbarisme « dissolvèrent »).

Une entreprise bien singulière, un livre bien curieux dont la publication me paraît s'imposer. Qui peut bien être l'auteur ?

R.Q.

[...] la réaction de Raymond Queneau membre du comité de lecture de Gallimard et de l'Académie Goncourt — à la lecture de mon premier manuscrit – celui de *Vendredi* – déposé par moi rue Sébastien-Bottin en avril 1966. Ni ce *Vendredi,* ni moins encore *Le Roi des Aulnes,* n'étaient faits – c'est le moins qu'on puisse dire – pour flatter le goût du père de Zazie, grand animateur de l'Oulipo. Il imposa ces livres cependant, le premier à son éditeur, le second aux jurés du Prix Goncourt. Mais son jugement est hérissé de réticences.

Michel Tournier.

R.M. Albérès, auteur d'une *Histoire du roman,* en 1962, a été un des premiers critiques à remarquer *Vendredi ou les Limbes du Pacifique,* avant que le livre ne soit couronné par le grand prix de l'Académie française. Il est l'auteur de la formule souvent citée à propos de *Vendredi ou les Limbes du Pacifique :* « *Robinson Crusoé* revu et corrigé à travers Freud, Jung et même Claude Lévi-Strauss. » **Michel Tournier la reprendra, avec une variante, dans** *Le Vol du Vampire :* « C'est *Robinson Crusoé* récrit par Freud, Walt Disney et Claude Lévi-Strauss » *V.V.,* p. 387).

Il y a longtemps que le XVIIIᵉ siècle fascine nos romanciers et nos conteurs. Combien, parmi eux, n'ont-ils pas essayé, depuis vingt ans, d'écrire leurs *liaisons dangereuses :* le petit roman psychologique cruel, dans un style pur et froid, l'abstraction des sentiments, la désinvolture et la prestesse ! Voici que l'on en vient maintenant à pasticher une autre inspiration du siècle de Voltaire et de Sade : l'imagination et la verve satirique. À la vogue des Valmont et des Faublas (qui commença en 1951 avec Louise de Vilmorin et *Madame de...*), succède la vogue, anglaise cette fois, des Robinson et des Gulliver, en attendant sans doute les *Micromégas* et les Persans de Montesquieu...

C'est un jeune auteur, Michel Tournier, qui ressuscite et remet en question Robinson Crusoé, le vieux Robinson de notre enfance. *Vendredi ou les Limbes du Pacifique* n'est ni un récit, ni une chronique, ni une épopée, ni un simple pastiche, mais tout cela à la fois : une série de variations lyriques, cyniques, philosophiques, oniriques, psychanalytiques, autour de la véritable histoire de Robinson. Robinson revu et corrigé à travers Freud, Jung, et même Claude Lévi-Strauss.

R. M. Albérès, « Un nouveau Robinson Crusoé et ses mythes », *Les Nouvelles littéraires,* 6 avril 1967.

Il faut dire que le Robinson traditionnel pouvait sembler un peu bêta. Une fois oubliées et devenues insensibles pour nous les intentions de Daniel Defoe et de son grand roman de foi en une humanité pieuse et industrieuse, cette belle et lente chronique de l'activité, de la patience et de l'énergie avait perdu de son mordant pour devenir un conte pour enfants, et le grand Anglais tenace, vêtu de peaux de bouc, faisait figure de lourdaud... Déjà Giraudoux ne le lui avait pas envoyé dire, dans *Suzanne et le Pacifique* :

« Je le trouvai geignard, incohérent. Ce puritain accablé de raison, avec la certitude qu'il était l'unique jouet de la Providence, ne se confiait pas à elle une seule minute. À chaque instant, pendant dix-huit années, comme s'il était toujours sur son radeau, il attachait des ficelles, il sciait des pieux, il clouait des planches [...]. Toujours agité, non comme s'il était séparé des humains, mais comme s'il était brouillé avec eux, et ne connaissant aucun des deux périls de la solitude, le suicide et la folie. Le seul homme, peut-être, tant je le trouvais tatillon et superstitieux, que je n'aurais pas aimé rencontrer dans une île. Ne brûlant jamais sa forteresse dans un élan vers Dieu, ne songeant jamais à une femme, sans divination, sans instinct. »

Ce texte déjà ancien de Giraudoux (1921), si je le cite un peu longuement, c'est qu'il trouve sa réponse – ou, plutôt, la réponse d'un esprit de 1967 – dans le livre de Michel Tournier. Robinson repensé et revécu par un écrivain alerte d'aujourd'hui est un Robinson en folie, qui brûle sa forteresse. À la légende, Tournier ajoute de la poésie, de la psychologie, de la plaisanterie : tout le fourmillement d'idées incongrues, d'excès de conscience et de névrose qui caractérise l'intellectuel de notre temps. Ce n'est plus Robinson, c'est un objet d'expériences, un prétexte au lyrisme, un résumé des sciences et des folies humaines...

Pourtant – que le lecteur se rassure – on retrouve dans ces *Limbes du Pacifique* les images et les épisodes bien connus du vieux Robinson : le naufrage, l'installation dans l'île, la chaloupe que l'on ne peut mettre à flot, la construction de la hutte-palais, la grotte, la poudre, les armes, le chien familier, la première récolte de blé, la lecture de la Bible, les cannibales et, enfin, Vendredi. Rien n'y semble manquer, pas même le parapluie-parasol...

Il manque pourtant quelque chose ou quelqu'un : le perroquet de Robinson. Et cela pour une bonne raison, c'est que, chez Michel Tournier, Robinson est son propre perroquet. Au lieu de vivre une patiente aventure de naufragé, il vit une aventure intérieure, un registre de toutes les possibilités mentales de l'homme : affamé d'abord d'organisation, de possession et de construction, accumulant des provisions non pour un homme seul, mais pour un village, pour une ville, et construisant, dans sa mégalomanie, un Palais de Justice et un Pavillon des Poids et Mesures ; sombrant ensuite dans la paresse, la dégradation, la folie, et en sortant pour entrer dans le mystique. Autour de lui, l'île devient un être vivant auquel il s'unit ; il passe des semaines à méditer, entièrement immobile.

Puis il se lève et il écrit ses réflexions sur la nature, le soleil et la sexualité (absente chez Daniel Defoe). Il esquisse une ontologie poétique, il fait de la philosophie, de la phénoménologie, de l'anthropologie « structuraliste »... Tous les vices du derniers tiers du XXᵉ siècle ! Vendredi apparaît au terme de ce festival moderniste. Mais, ici, ce n'est plus Robinson qui convertit Vendredi à la civilisation. C'est Vendredi qui s'empare psychologiquement de Robinson et l'initie à une sorte de vision surréaliste et magique du monde.

Il est bien amusant et instructif, ce livre qui n'est pas un simple pastiche, un « *à la manière de...* ».

Étourdissant et incongru incohérent. Déroutant. Et cela pour une bonne raison : il montre – que Michel Tournier l'ait fait exprès ou non – l'effrayante distance mentale qui existe entre un intellectuel de 1720, rationnel, rationaliste, d'esprit patient et simplificateur, et un intellectuel de 1967 à l'imagination foisonnante, obsédé par l'introspection, les mythes et les mythologies. Sous les pieds de Robinson-Defoe, l'île était une terre solide, à organiser et à labourer. Sous les pieds de Robinson-Tournier, l'île n'est plus qu'une succession de mirages. Le monde cesse d'être une conquête de l'homme pour devenir un rêve de l'homme, une série de rêves. Phénoménologiquement – car, il n'y a pas à dire, Robinson-Tournier est phénoménologiste – la réalité est remplacée par l'image que l'homme s'en fait. Le monde moderne est un monde de mythes, nous sommes mythomanes.

Nº 20 MARGARET SANKEY

Magaret Sankey s'intéresse particulièrement au rôle de l'écriture (qu'il s'agisse de la « Charte ou du log-book ») dans la version que Michel Tournier donne au mythe de Robinson. Elle s'interroge sur le sens symbolique de l'interruption du log-book (qui n'a pas été détruit par l'explosion, comme la Charte) à la fin du livre où seul subsiste le récit à la troisième personne.

Par la Charte des lois qu'il rédige, Robinson essaie de rétablir l'ordre externe détruit, de même que par le log-book il cherche à imposer un ordre interne. Dans les deux cas il s'agit de la recréation de l'ordre perdu, comme l'écriture de Robinson est une restitution de l'écriture perdue. Cette étape dans le développement de Robinson est à mettre en parallèle avec l'épisode de *Robinson Crusoé* où

Margaret Sankey, « La signification à travers l'intertextualité : l'isomorphisme de *Robinson Crusoé* de Defoe et *Vendredi ou les Limbes du Pacifique* de Tournier », *Australian Journal of French Studies*, XVII, 1981.

Crusoé affirme sa domination et sur l'île et sur Vendredi, où la culture triomphe de la nature, ce dont l'écriture est l'expression ultime.

Quand Vendredi, dans le roman de Tournier, en allumant la pipe de Crusoé, provoque accidentellement une explosion qui bouleverse cet ordre, Crusoé croit que son log-book a disparu. La Charte a été détruite sans trace, mais non pas le log-book, et cela est significatif. La redécouverte du log-book a lieu après qu'il a été établi que Crusoé n'est plus le maître et a beaucoup à apprendre de Vendredi. C'est alors Vendredi qui fabrique l'encre et les plumes pour Robinson : « Maintenant, lui dit-il simplement, l'albatros est mieux que le vautour, et le bleu est mieux que le rouge » (p. 214). L'écriture de Robinson dans le log-book devient la célébration de son accession à un nouvel état à travers la destruction par Vendredi du vieil ordre. La métamorphose est symbolisée par la transformation du bouc Andoar en une harpe éolienne par Vendredi.

« Andoar, c'était moi [...] Vendredi s'est pris d'une étrange amitié pour lui, et un jeu cruel s'est engagé entre eux. "Je vais faire voler et chanter Andoar", répétait mystérieusement l'Auracan. Mais pour opérer la conversion éolienne du vieux bouc, par quelles épreuves n'a-t-il fait passer sa dépouille » (p. 227).

L'image de la harpe éolienne devient donc le symbole de l'état auquel aspire Crusoé : « ...c'est le seul instrument dont la musique au lieu de se développer dans le temps s'inscrit tout entière dans l'instant » (p. 227). C'est un état d'harmonie cosmique qui transcende la succession des instants caractérisant l'être historique et qui atteint à un état hors du temps qui exclut l'expression verbale. Car décrire cet état au moyen des mots, c'est inscrire l'expérience dans le cadre du temps historique : du présent, du passé et du futur. Cette perfection pourrait être atteinte par Robinson dans son rapport à Vendredi : leurs âmes fusionneront comme dans le cas des Dioscures. L'allusion renvoie évidemment à la dix-neuvième carte du Tarot mentionnée dans la lecture que van Deyssel fait de l'avenir de Crusoé dans la préface du roman : « C'est le zénith de la perfection humaine, infiniment difficile à conquérir, plus difficile encore à garder » (p. 12).

Mais au bord de la révélation ultime – « ... je tâtonne à la recherche de moi-même dans une forêt d'allégories » (p. 232) – il est ramené sur terre par l'arrivée du navire, le *Whitebird,* qui emmène Vendredi. Il n'y a plus d'entrées dans le log-book après le départ de Vendredi. Avant la défection de celui-ci, Robinson était arrivé logiquement au point où l'écriture avait été transcendée, mais maintenant il est arrivé au point diamétralement opposé où le temps l'écrase, d'où il ne voit pas d'avenir et l'écriture devient ainsi futile :

« Robinson comprit que ces vingt-huit années qui n'existaient pas la veille encore venaient de s'abattre sur ses épaules. Le *Whitebird* les avait apportées avec lui – comme les germes d'une maladie mortelle – et il était devenu tout à coup un vieil homme » (p. 250).

Son passé l'a englouti, il est devenu victime de la civilisation-histoire-culture à laquelle il a essayé d'échapper. La culture dans la personne de Robinson avait rendu la nature esclave mais celle-ci a repris ses droits après l'explosion. Mais la nature est balayée à son tour par la culture dégradée représentée par le *Whitebird.* Mais même ici comme auparavant la Bible, le passé de la civilisation occidentale en même temps que son avenir prophétique, indique une direction à suivre. Pour le Crusoé de Defoe, la Bible sauvée du naufrage apporte la consolation, c'est l'étalon qui lui permet de mesurer son développement spirituel. Dans *Vendredi,* la Bible s'est déchristianisée et remplit un rôle prophétique en même temps qu'elle apporte une confirmation de ses actions à Robinson. À partir de là, elle se fait le symbole de la continuité et de l'indestructibilité de l'écriture. Crusoé trouve un fragment de la Bible qu'il croyait détruite lors de l'explosion – un passage du 1er livre des Rois qui décrit le Roi David sur le déclin :

« Le Roi David était vieux, avancé en âge. On le couvrait de vêtements sans qu'il pût se réchauffer. Ses serviteurs lui dirent : Que l'on cherche pour mon Seigneur, le Roi, une jeune Vierge. Qu'elle se tienne devant le Roi et le soigne, et qu'elle couche dans ton sein, et mon Seigneur, le Roi, se réchauffera » (p. 250).

À la différence du Roi David, Crusoé est sauvé par l'arrivée d'une « vierge », le mousse albinos du *Whitebird* qui s'est enfui vers l'île dans la même pirogue que Vendredi a utilisée pour s'en échapper. Notre dernière vision de Crusoé, c'est celle d'un être transfiguré : « L'éternité en reprenant possession de lui, effaçait ce laps de temps sinistre et dérisoire. Une profonde inspiration l'emplit d'un sentiment d'assouvissement total » (p. 254).

Crusoé est arrivé à un point au-delà du langage, au-delà de l'écriture, au-delà de l'histoire et c'est maintenant que la signification de la perspective narrative devient claire. Crusoé dans *Vendredi* ne peut pas écrire sa propre histoire, comme il l'avait fait dans *Robinson Crusoé,* parce que le point culminant de cette histoire-là est sa progression au-delà de l'usage des mots, vers un présent éternel. En utilisant la troisième personne Tournier peut représenter ce fait, ce qu'il n'aurait pas pu faire en utilisant la première personne.

Dans *Palimpsestes* (1982), Gérard Genette consacre une dizaine de pages à la récriture par Tournier du *Robinson Crusoé* de Defoe. Il s'intéresse ici à la récriture par Tournier, en 1972, de son premier livre : *Vendredi ou les Limbes du Pacifique,* sous le nouveau titre : *Vendredi ou la Vie sauvage* et surtout à l'effet produit sur un lecteur adulte par la perception simultanée de cette double version.

L'immense série des robinsonnades, chez Tournier lui-même, ne s'arrête pas à *Vendredi ou les Limbes du Pacifique.* En 1971, Antoine Vitez en tire une pièce pour enfants qu'il monte au Palais de Chaillot. Au même moment, Tournier rédige une version enfantine du roman sous le titre *Vendredi ou la Vie sauvage.* Ce second *Vendredi* vise un lecteur par hypothèse inapte à la lecture du premier, qu'il abrège, simplifie, et expurge de ses aspects trop philosophiques, ou trop troublants pour un jeune public. Entre ce texte et son lecteur enfantin, je suppose, aucune gêne, non plus que dans les innombrables versions adaptées de *Robinson* lui-même. Mais, lorsqu'un lecteur adulte lit ce second *Vendredi* avec le souvenir du premier, il se produit une situation de lecture imprévue, non programmée par l'adaptateur, à proprement parler *indue,* et qui engendre inévitablement un malaise. Je lis à deux niveaux un texte qui s'y prête mais ne s'y attend pas, j'observe des explications *ad usum delphini,* des censures, des compromis, de petites trahisons, de petites lâchetés. Qu'est-ce par exemple que ce *Vendredi* sans combe rose, sans mandragore, châtré de sa dimension érotique ? Il me choque que l'auteur lui-même se soit prêté, ou plutôt livré à un tel exercice. Je vois que la scène (capitale) de l'arrivée de Vendredi subit un curieux outrage : cette fois, Robinson ne vise pas le fugitif, mais le premier

Gérard Genette, *Palimpsestes,* © Éditions du Seuil 1982, p. 424-425 poursuivant. Le mouvement de Tenn dévie le coup vers le second poursuivant, mais le premier s'arrête pour lui porter secours, et Vendredi est sauvé, mais non plus contre le gré de Robinson ; de ce fait, l'intervention du chien perd toute fonction pragmatique. L'auteur, dirait-on, a voulu à la fois conserver l'astuce narrative et sauver la morale en effaçant l'intention égoïste de Robinson et en revenant, somme toute, à la version de Defoe. Un peu plus loin, je vois que Vendredi a gagné un motif pour affronter Andoar : c'est son affection touchante et jalouse pour la petite chèvre Anda, et je me demande si le récit gagne ou perd à cette motivation rétroactive. Mais je sens surtout que ces remarques et ces questions sont déplacées, comme toute ma curiosité pour la relation entre ces deux textes, puisque le lecteur virtuel de *Vendredi ou la Vie sauvage* n'est pas censé connaître *Vendredi ou les Limbes du Pacifique*.

Mais qui en décide ? Dans ce domaine, bien sûr, l'usage crée le droit et, dès lors que tous les textes, ou tous les états d'un texte, sont accessibles, voire, comme c'est ici le cas, publiés par l'auteur lui-même, toute lecture, même la plus indiscrète, est légitime. D'où il suit que toute écriture est responsable. *Vendredi ou la Vie sauvage* est en principe une version réservée, dont l'intention d'écriture, clairement inscrite dans son texte, vise un type de lecteurs et en exclut un autre. Mais ce texte, publié, atteint aussi parfois le lecteur qu'il ne souhaitait pas, comme Robinson vise Vendredi et tue son poursuivant. Ce lecteur imprévu et sans doute importun vient alors se superposer au destinataire recherché, et cette double « réception », par elle-même, dessine ce qu'on pourrait décrire comme un palimpseste de lecture. Je suis seul devant ce texte, et pourtant je me sens deux : l'enfant qu'il vise et l'adulte qu'il atteint. D'où j'infère qu'il louche.

Quoi qu'il en soit, *Vendredi ou la Vie Sauvage,* transposition de transposition, est typiquement un hyper-hypertexte, à certains égards plus proche de son hypo-hypotexte *Robinson Crusoé* que ne l'était son hypotexte *Robinson ou les Limbes du Pacifique.* Cela fait rêver : de correction en correction, de moralisation en moralisation, on imagine Tournier finissant par produire une copie conforme de *Robinson*.

D'une manière à mes yeux très significative, dans ce livre intitulé *Vendredi,* la narration reste pour l'essentiel (j'ai déjà signalé l'une des rares entorses) focalisée sur Robinson. Cette apologie du bon sauvage est bien faite, comme toujours, par le civilisé, et l'auteur même ne s'y identifie nullement à Vendredi, mais bien à Robinson : un Robinson fasciné et finalement converti par Vendredi, mais qui demeure le foyer – je dirais volontiers le *maître* du récit, et d'un récit qui raconte son histoire, non celle de Vendredi. Quelqu'un, ici, dit « Vendredi avait raison », mais ce quelqu'un, malgré une dévocalisation de surface, c'est toujours Robinson. Le véritable *Vendredi,* où Robinson serait vu, décrit et jugé par Vendredi, reste à écrire. Mais ce *Vendredi*-là, aucun Robinson – fût-il le mieux disposé – ne peut l'écrire.

Ibid., p. 425.

III. BIBLIOGRAPHIE

A. ARTICLES DE MICHEL TOURNIER

« Des éclairs dans la nuit du cœur », *Les Nouvelles littéraires*, 26 novembre 1970.

« Quand Michel Tournier récrit ses livres pour les enfants » (à propos de *Vendredi ou la Vie sauvage*), *Le Monde*, 24 décembre 1971.

« Vendredi ou l'école buissonnière », *Le Figaro*, 26 novembre 1974.

« Point de vue d'un éducateur », *Le Monde*, 20 décembre 1974.

« Érudition et dérision » (à propos de Thomas Mann), *Le Monde*, 6 juin 1975.

« L'île et le jardin », *Le Monde*, 31 octobre 1976.

« En marge du romantisme allemand. Les voyages initiatiques », *Le Monde*, 10-20 janvier 1977.

« Le sacre de l'enfant » (réflexions sur *Émile* de Rousseau), *Le Monde*, 7 avril 1978.

« Faut-il écrire pour les enfants ? » *Le Courrier de l'UNESCO*, juin 1982, p. 33-34.

« Les Mots sous les Mots », *Le Débat*, nº 33, 1985.

B. ENTRETIENS DE MICHEL TOURNIER

avec J.-P. Gorin : « Quand Vendredi éduque Robinson », *Le Monde*, 18 novembre 1967.

avec Jean-Louis de Rambures : « Je suis comme la pie voleuse », *Le Monde*, 23 novembre 1970 (repris dans le livre : *Comment travaillent les écrivains ?* Flammarion, 1978).

avec Jean-Louis de Rambures : « De Robinson à l'ogre : un créateur de mythes », *Le Monde*, 4 décembre 1970.

avec Jean-Marie Magnan : « Écrire pour les enfants », *La Quinzaine littéraire,* 16-31 décembre 1971.

avec Jacqueline Piatier : « Je suis un métèque de la littérature », *Le Monde,* 28 mars 1975.

avec Daniel Bougnoux et André Clavel. « Entretien avec Michel Tournier », *Silex,* n° 14, « Les îles », novembre 1979.

avec Jean-Jacques Brochier : « Qu'est-ce que la littérature ? », *Le Magazine littéraire,* n° 179, décembre 1981.

avec Guitta Pessis Pasternak : « Tournier le sensuel », *Le Monde,* 13 août 1984.

avec les élèves du Lycée Montaigne : « Tournier face aux lycéens », *Le Magazine littéraire,* n° 226, janvier 1986.

C. OUVRAGES CRITIQUES

a) Études consacrées à l'ensemble de l'œuvre de Michel Tournier

Bouloumié Arlette, *Michel Tournier, le roman mythologique* suivi de *Questions à Michel Tournier,* José Corti, Paris, 1988.

Cloonan William, *Michel Tournier,* Twayne's World Authors Series, Twayne, Boston, 1985. Lire plus particulièrement le chapitre consacré à *Vendredi*.

Davis Colin, *Michel Tournier, Philosophy and Fiction,* Clarendon Press, Oxford, 1988. Lire plus particulièrement le chapitre consacré à *Vendredi* sous le titre : « The Philosophical Novel », p. 9-33.

Koster Serge, *Michel Tournier,* Henri Veyrier, Paris, 1986.

Merllié Françoise, *Michel Tournier,* Belfond, Paris, 1988.

Rosello Mireille, *L'in-différence chez Michel Tournier*, José Corti, Paris, 1990.

Tome Mario, *Hermenéutica simbólica en la obra de Michel Tournier,* Servicio de publicaciones, Universidad de León, 1986. Lire plus particulièrement : « Los simbolos transformadores de Robinson », p. 37-48, et « La Alquimia simbólica », p. 189-202.

b) Études consacrées à « Vendredi ou les Limbes du Pacifique ».

Salkin Sbiroli Lynn, *Michel Tournier, la séduction du jeu,* Slatkine, Genève-Paris, 1987.

Stirn François, *Tournier : Vendredi ou les Limbes du Pacifique,* Profil d'une œuvre, Hatier, Paris, 1983.

Yaiche Francis, *Vendredi ou la vie sauvage de Michel Tournier,* Lectoguide, Éditions Pédagogie moderne, Bordas, Paris, 1981.

c) Livres consacrant quelques pages à « Vendredi ou les Limbes du Pacifique ».

Deleuze Gilles, *Logique du sens,* Éditions de Minuit, Paris, 1969, p. 350-372.

Genette Gérard, *Palimpsestes, la littérature au second degré,* le Seuil, Paris, 1982, p. 419-425.

Vierne Simone, *Rite, roman, initiation,* PUF de Grenoble, 1979, p. 11-123.

D. ARTICLES

Albérès R.M., « À la manière de... », *Les Nouvelles littéraires,* 23 novembre 1967.

Berger Yves, « *Vendredi ou les Limbes du Pacifique* de Michel Tournier », *Le Monde,* 18 mai 1967.

Bouloumié Arlette :
  – « Le thème de l'arbre dans l'œuvre de Michel Tournier », *L'École des Lettres,* Paris, novembre 1985, n° 5, p. 3-12.
  – « Mythologies », *Le Magazine littéraire,* Paris, janvier 1986, n° 226, p. 26-29.
  – « Deux thèmes chers au romantisme allemand, la harpe éolienne et la mandragore », *Recherches sur l'imaginaire,* cahier XVIII, université d'Angers, 1987, p. 145-162.

- « La mandragore » in *Dictionnaire des mythes littéraires* sous la direction de Pierre Brunel, éd. du Rocher, Monaco, 1988, p. 966-977.
- « Les réécritures de Michel Tournier », Actes de l'Université d'été sur *la Réécriture* publiés par le CEDITEL — Grenoble III — p. 157-177.
- « Le mythe de l'androgyne dans l'œuvre de Michel Tournier » (Actes du colloque sur l'androgyne, Cerisy-la-Salle, 1987), Albin Michel, Les Cahiers de l'hermétisme, Androgyne 2, Paris, 1990, p. 63-69.
- « Mandragore et littérature fantastique » Actes du colloque sur *la littérature fantastique,* Cerisy-la-Salle, 1989, à paraître aux éditions Albin Michel, coll. Les Cahiers de l'Hermétisme.
  - « Inversion bénigne, inversion maligne dans l'œuvre de Michel Tournier » (Actes du colloque : « *Images et signes de Michel Tournier* », Cerisy-la-Salle, 1990), à paraître chez Gallimard.

Calvino Italo, « Philosophy and Literature », *The Times Literary Supplement,* 28 septembre 1967.

Cesbron Georges, « Notes sur l'imagination terrienne du corps dans *Vendredi* de Tournier », *Revue de l'université de Bruxelles,* 1979, p. 357-365.

Deleuze Gilles, « Michel Tournier et le monde sans autrui », *Critique,* 241, 1967 — publié comme postface à l'édition Folio de *Vendredi ou les Limbes du Pacifique.*

Nourissier François, « *Vendredi ou les Limbes du Pacifique,* roman de Michel Tournier », *Les Nouvelles littéraires,* 23 novembre 1967.

Petit Susan, « The Bible as inspiration in Tournier's *Vendredi ou les Limbes du Pacifique* », *French forum,* Lexington, 1985, p. 343-354.

Purdy Anthony, « From Defoe's Crusoé to Tournier's Vendredi. The Metamorphosis of a Myth », *Canadian Review of Comparative Literature,* juin 1984, p. 216-235.

Romilly Jacqueline de, « Visages grecs de l'ivresse », *Corps écrit,* nº 13, 1985.

Sankey Margaret, « Meaning through Intertextuality Isomorphism of Defoe's *Robinson Crusoé* and *Tournier's Vendredi ou les Limbes du Pacifique* », *Australian Journal of French Studies,* 18, Melbourne, 1981, p. 77-88.

Shattuk Robert, « Comment situer Michel Tournier », *Sud,* nº 61, p. 132-153.

Stalloni Yves, « Michel Tournier : *Vendredi ou les Limbes du Pacifique* », *L'École des Lettres,* Paris, février 1981, nº 9, p. 2-14 et 51.

Taat Mieke, « Et si le roi était nu ? Michel Tournier romancier mythologue », *Rapports het Franse Bœk,* Amsterdam, 1982, p. 53-55 (sur l'ironie dans l'œuvre de Michel Tournier).

Worton Mickael, « Écrire et ré-écrire : le projet de Tournier », *Sud,* nº 61, 1986, p. 52-69.

E. OUVRAGES CITÉS

Albérès R.M., *Histoire du roman moderne*, Albin Michel, 1962.

Bachelard Gaston :

– *L'Eau et les Rêves,* José Corti, 1942.

– *L'Air et les Songes,* José Corti, 1943.

– *La Terre et les rêveries du repos,* José Corti, 1948.

– *La Terre et les rêveries de la volonté,* José Corti, 1948.

– *La Psychanalyse du feu,* Gallimard, « Idées », 1949.

Bataille Georges :

– *L'Érotisme,* Les éditions de minuit, repris en « 10/18 », 1957.

– *La part maudite,* Les éditions de minuit, coll. « Points », 1967.

Beauchard Jean, *Tarot maçonnique,* Arkhana Vox, 1988.

Bougainville, *Voyage autour du monde,* François Maspero, coll. « La Découverte », Paris, 1980.

Bovagnet Hélène, *Tarot symbolique et pratique,* éd. Alban, coll. « Études initiatiques », 1977, p. 142.

Chevalier Jean et Gheerbrant Alain, *Dictionnaire des symboles,* Laffont, 1969.

Cook James, *Relations de voyages autour du monde,* François Maspero, coll. « La Découverte », Paris, 1980.

Darwin Charles, *Voyage d'un naturaliste autour du monde,* François Maspero, coll. « La Découverte », Paris, 1985.

Defoe Daniel, *Robinson Crusoé,* Garnier-Flammarion, 1989.

Diderot Denis, *Le Neveu de Rameau et autres dialogues,* Gallimard, Folio, 1972.

Eliade Mircea :
  – *Mythes, rêves et mystères,* Gallimard, Folio, 1957.
  – *Initiations, rites et sociétés secrètes,* Gallimard, coll. « Idées », 1959.
  – *Forgerons et alchimistes,* Flammarion, « Champs », 1977.

Freud Sigmund « *Au-delà du principe de plaisir* », Essai de Psychanalyse, Payot, 1989.

Gide André, *Journal* (1893), Gallimard, « Bibliothèque de la Pléiade », 1951.

Giraudoux Jean, *Suzanne et le Pacifique,* éd. Rencontre, Neuchâtel, 1961.

Jung Carl Gustav, *Psychologie et alchimie,* Buchet Chastel, 1970.

Lévi-Strauss Claude :
  – *Anthropologie structurale,* Plon, 1958.
  – *La Pensée sauvage,* Plon, 1962.
  – *L'Homme nu,* Plon, 1971.

Libis Jean, *Le Mythe de l'androgyne,* Berg international, 1980.

Platon :
  – *Politique,* Garnier-Flammarion, 1969.
  – *Timée,* Garnier-Flammarion, 1969.

Pouillon Jean, *Temps et roman,* Gallimard, 1958.

Nietzsche Friedrich :

– *La Naissance de la tragédie,* Gallimard, « Folio », 1977.

– *Ainsi parlait Zarathoustra,* Gallimard, « Folio », 1971.

– *Par-delà bien et mal,* Gallimard, « Folio », 1971.

– *Le Crépuscule des idoles,* Gallimard, « Folio », 1974.

– *L'Antéchrist* suivi de *Ecce Homo,* 1974.

Robert Marthe, *Roman des origines et origines du roman,* Gallimard, « Tel », 1972.

Rougemont Denis de, *L'Amour et l'Occident,* Plon, 10/18, 1972.

Rousseau Jean-Jacques, *Émile ou de l'Éducation,* Gallimard, « Bibliothèque de la Pléiade », 1969.

Saint-John Perse, *Éloges,* Gallimard, « Poésie », 1960.

Sartre Jean-Paul :

– *La Transcendance de l'égo,* Esquisse d'une description phénoménologique, éd. Sylvie Le Bon, Paris, Vrin, 1972.

– *L'Être et le Néant,* Gallimard, 1943.

Schopenhauer Arthur, *Le Monde comme volonté et comme représentation,* PUF, 1966.

Thomas (L'Évangile selon), traduit et commenté par Jean-Yves Leloup, Albin Michel, coll. « Spiritualités vivantes », 1986, p. 22.

Valéry Paul, *Histoires brisées,* Gallimard, « Bibliothèque de la Pléiade », 1957, t. II.

Vercier Bruno et Lecarme Jacques, *La Littérature en France depuis 1968,* Bordas, 1982.

Vernant Jean-Pierre, *La Mort dans les yeux,* Hachette, Textes du XXe siècle, 1985.

Weber Max, *L'Éthique protestante et l'esprit du capitalisme,* Plon, 1964.

Woodes Rogers, *A Cruising Voyage Round the World,* Amsterdam, Israel and Da Capo Press, 1969 (publié en 1712). La traduction de ce texte est donnée en annexe dans le *Robinson Crusoé* de Defoe, Gallimard, « Bibliothèque de la Pléiade ».

F. ADAPTATIONS

Vendredi ou la Vie sauvage a été adapté en 1973 pour le Théâtre national de Chaillot dans une mise en scène d'Antoine Vitez.

Vendredi ou les Limbes du Pacifique a été joué, en 1982, à Avignon, dans l'adaptation de Pierre Lambert et Hélène Cafin, et en 1989, en Belgique, dans l'adaptation de Christian Lepaffe.

Gérard Vergès a réalisé une adaptation de *Vendredi* pour Antenne 2 avec Michaël York dans le rôle de Robinson et Gene Antony Rey dans celui de Vendredi.

Lecture a été faite, à France Culture, par François Chaumette de la Comédie-Française, de *Vendredi ou les Limbes du Pacifique*, du 14 août au 2 septembre 1967, de 9 h 05 à 9 h 25 (*Vendredi ou les Limbes du Pacifique* est le premier roman choisi pour cette expérience).

Vendredi ou la Vie sauvage lu par Michel Tournier avec musique originale de François Rauber existe chez Gallimard dans la collection « Folio junior – un livre à écouter » (un livre, deux cassettes) – 1983.

TABLE

ESSAI

Aux Éditions Gallimard

VENDREDI OU LES LIMBES DU PACIFIQUE (roman). Folio 959.

LE ROI DES AULNES (roman). Folio 656.

LES MÉTÉORES (roman). Folio 905.

LE VENT PARACLET (essai). Folio 1138.

LE COQ DE BRUYÈRE (contes et récits). Folio 1229.

GASPARD, MELCHIOR & BALTHAZAR (récits). Folio 1415.

VUES DE DOS. Photographies d'Édouard Boubat.

GILLES & JEANNE (récit). Folio 1707.

LE VAGABOND IMMOBILE. Dessins de Jean-Max Toubeau.

LA GOUTTE D'OR (roman). Folio 1908.

PETITES PROSES. Folio 1768.

LE MÉDIANOCHE AMOUREUX (contes et nouvelles).

Pour les jeunes

VENDREDI OU LA VIE SAUVAGE. Folio Junior 30. Illustrations de Georges Lemoine et Bruno Pilorget. Folio Junior Édition spéciale 445.

PIERROT OU LES SECRETS DE LA NUIT. Album illustré par Danièle Bour. Enfantimages.

BARBEDOR. Album illustré par Georges Lemoine. Enfantimages. Folio Cadet 74.

L'AIRE DU MUGUET. Folio Junior 240. Illustrations de Georges Lemoine.

SEPT CONTES. Folio Junior 264. Illustrations de Pierre Hézard.

LES ROIS MAGES. Folio Junior 280. Illustrations de Michel Charrier.

QUE MA JOIE DEMEURE. Conte de Noël dessiné par Jean Claverie. Enfantimages.

Aux Éditions Belfond

LE TABOR ET LE SINAÏ. Essais sur l'art contemporain.

Aux Éditions Complexe

RÊVES. Photographies d'Arthur Tress.

Aux Éditions Denoël

MIROIRS. Photographies d'Édouard Boubat.

Aux Éditions Herscher

MORTS ET RÉSURRECTIONS DE DIETER APPELT.

Aux Éditions Le Chêne-Hachette

DES CLEFS ET DES SERRURES. Images et proses.

Au Mercure de France

LE VOL DU VAMPIRE. Notes de lecture. Idées 485.

DANS LA MÊME COLLECTION

Michel Bigot, Marie-France Savéan   *La cantatrice chauve et La leçon d'Eugène Ionesco*
Arlette Bouloumié   *Vendredi ou Les limbes du Pacifique de Michel Tournier*
Pierre Chartier   *Les faux-monnayeurs d'André Gide*
Henri Godard   *Voyage au bout de la nuit de Louis-Ferdinand Céline*
Geneviève Hily-Mane   *Le vieil homme et la mer d'Ernest Hemingway*
Thierry Laget   *Un amour de Swann de Marcel Proust*
Jacqueline Lévi-Valensi   *La peste d'Albert Camus*
Jean-Yves Pouilloux   *Les fleurs bleues de Raymond Queneau*
Claude Thiébaut   *La métamorphose de Franz Kafka*

À PARAÎTRE

Patrick Berthier   *Colomba de Prosper Mérimée*
Marc Buffat   *Les mains sales de Jean-Paul Sartre*
Marc Dambre   *La symphonie pastorale et La porte étroite d'André Gide*
Michel Décaudin   *Alcools de Guillaume Apollinaire*
Marie-Christine Lemardeley-Cunci   *Des souris et des hommes de John Steinbeck*
Claude Leroy   *L'or de Blaise Cendrars*
Henriette Levillain   *Les Mémoires d'Hadrien de Marguerite Yourcenar*
Marie-Thérèse Ligot   *Un barrage contre le Pacifique de Marguerite Duras*
Alain Meyer   *La condition humaine d'André Malraux*
Jean-Yves Pouilloux   *Fictions de Jorge Luis Borges*

COLLECTION FOLIO

Composé et achevé d'imprimer
par l'imprimerie Maury à Malesherbes
le 3 avril 1991.
Dépôt légal : avril 1991.
Numéro d'imprimeur : L90/33006V.
ISBN 2-07-038348-2. / Imprimé en France